OPERATIONS

매스티안

팩토슐레 Math Lv. 2 교재 소개

" 우리 아이 첫 수학도 창의력을 키우는 **FACTO**와 함께! "

- **팩토슐레**는 처음 수학을 시작하는 유아를 위한 창의사고력 전문 프로그램입니다.
- **팩토슐레**는 만들기, 게임, 색칠하기, 붙임딱지 붙이기 등의 다양한 수학 활동을 하면서 스스로 수학 개념을 알 수 있도록 구성하였습니다.

※팩토슐레는 6권으로 구성되어 있으며, 각 권에는 30가지의 재미있는 활동이 수록되어 있습니다.

누리과정

팩토슐레는 누리과정 · 초등수학과정을 연계하여 수학의 5대 영역(수와 연산, 공간과 도형, 측정, 규칙, 문제해결력)을 균형 있게 학습할 수 있도록 하였습니다.
특히 가장 중요한 수와 연산은 각 권으로 구성하여 깊이 있는 학습이 가능하도록 하였습니다.

STEAM PLAY MATH

팩토슐레는 4, 5, 6세 연령별로 학습할 수 있도록 설계한 놀이 수학입니다.
매일매일 놀이하듯 자르고, 붙이고, 색칠하는 30가지의 재미있는 활동을 통해 창의사고력을 기를 수 있습니다.

동화책풍의 친근한 그림

팩토슐레는 동화책풍의 그림들을 수록하여 아이들이 수학을 더욱 친근하게 느끼며 좋아할 수 있도록 하였습니다. 또한 한글을 최소화하고 학습 내용을 직관적으로 이해할 수 있도록 하였습니다.

팩토슐레 Math Lv. 2 교구·App 소개

" 수학 교육 분야 **증강현실**(AR)과 **사물인식**(OR) 기술을 **국내 최초** 도입 "

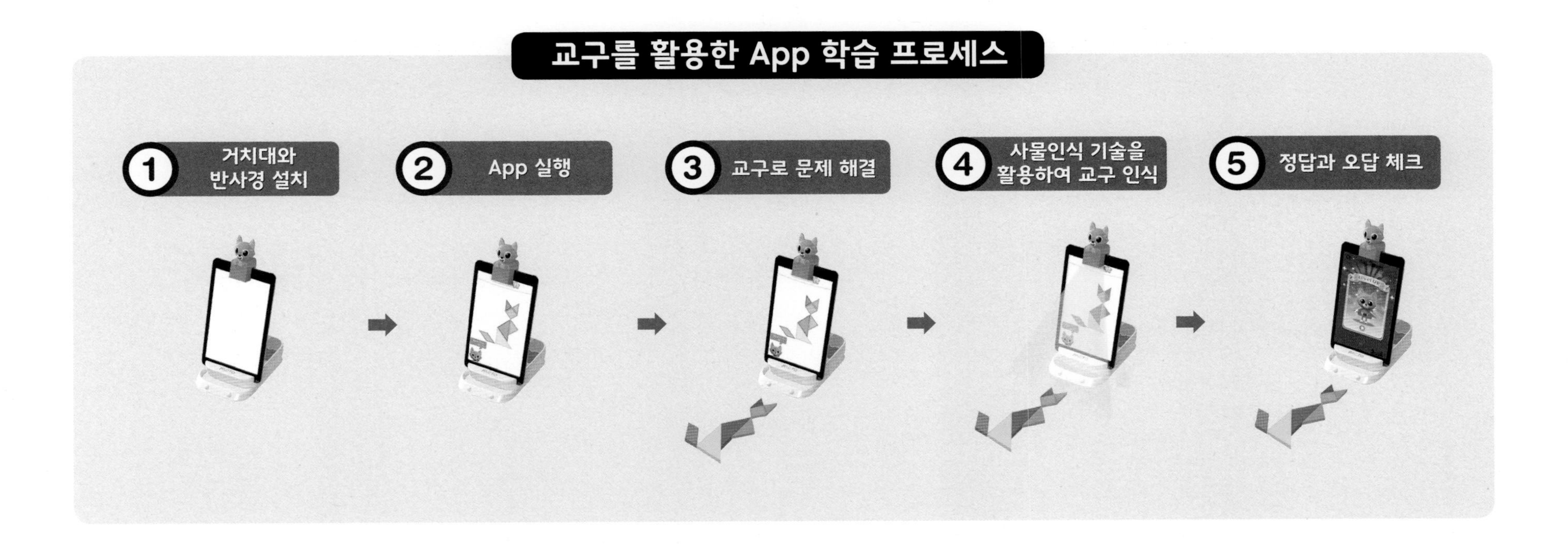

교구를 활용한 App 학습 프로세스
1 거치대와 반사경 설치
2 App 실행
3 교구로 문제 해결
4 사물인식 기술을 활용하여 교구 인식
5 정답과 오답 체크

자기주도학습 팩토슐레 App만의 장점

팩토슐레 App은 사물인식(OR) 기술을 사용하여 아이들의 학습 정보를 습득한 후, App에 프로그래밍된 학습도우미를 통하여 아이들이 문제 푸는 것을 힘들어하거나 틀릴 경우에는 힌트를 제공합니다.
이와 같은 방식의 스마트기기와의 상호작용은 학습의 효율을 높이고 자기주도학습 능력을 길러 줍니다.

완벽한 학습 설계 App 다른 교육 App과의 차별점

팩토슐레 App은 수학 교육 목표에 맞게 완벽한 학습 설계가 되어 있습니다. 아이들은 게임 기반의 학습 App을 진행하면서 어려운 문제도 술술 풀 수 있습니다.

증강현실(AR) 기술 도입

팩토슐레 App은 아이들이 캐릭터와 사진도 찍고, 자신이 그린 그림으로 자기만의 쿠키도 만들면서 학습 몰입도를 높일 수 있습니다.

01

바닷속에서 예쁜 물고기들이 헤엄을 치고 있어요. 같은 물고기들이 몇 마리씩인지 모아서 세어 보세요.

① 돌림판을 돌리고, 화살표 양쪽이 가리키는 물고기를 활동판에 차례로 놓습니다.

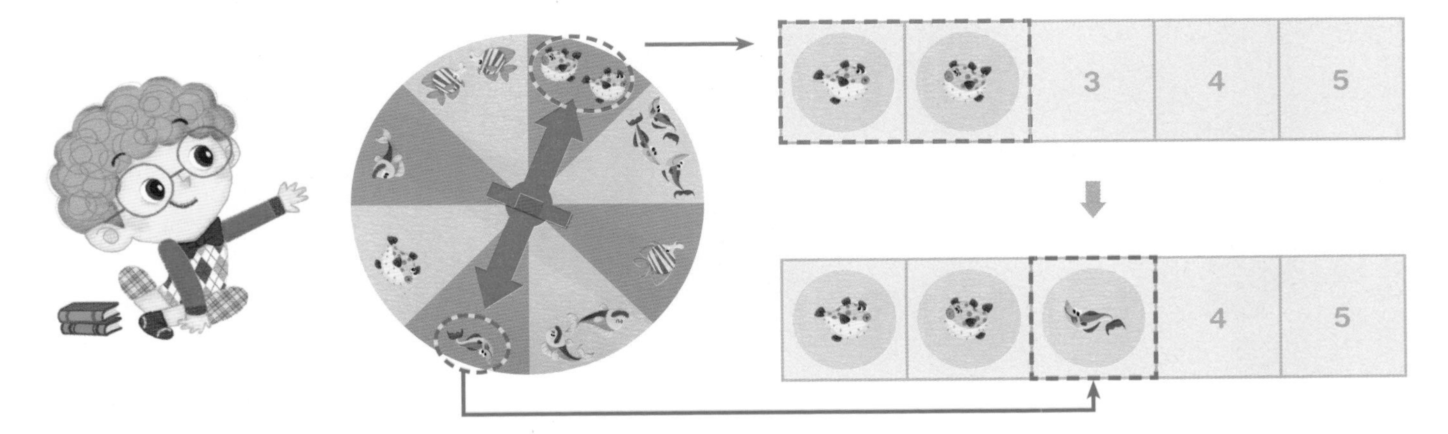

② 물고기가 모두 몇 마리인지 세어 말합니다.

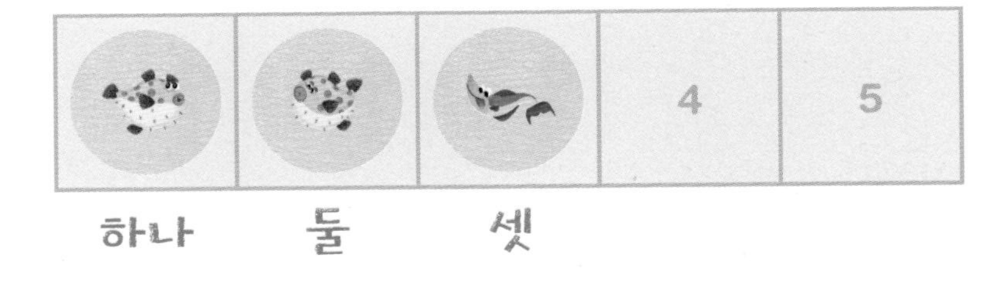

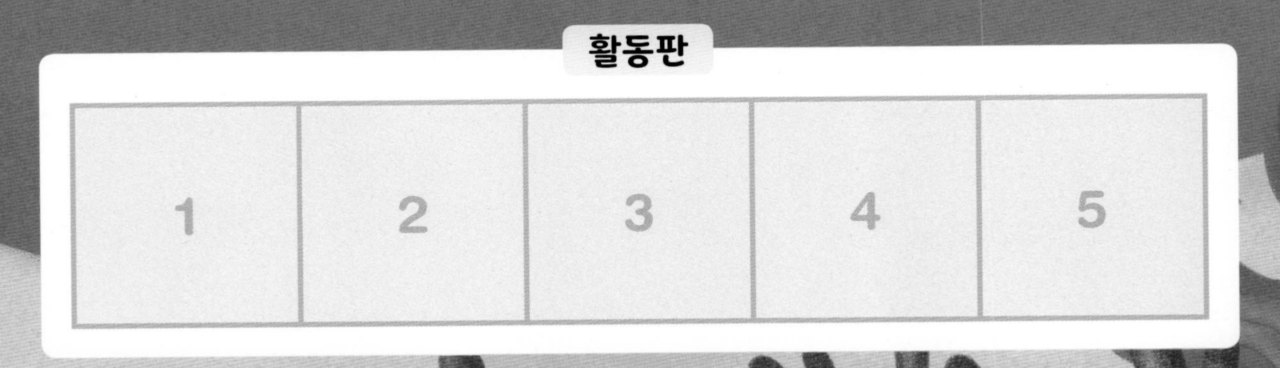

엄마는 선생님! 물고기의 수를 세어 보면서 수 모으기의 기초를 익힐 수 있습니다.

02 친구들이 모여서 게임을 하고 있네요. 게임 방법을 잘 보고 재미있는 손가락 게임을 해 보세요.

활동지 1

1부터 4까지의 수 중에서 하나를 말할게.

수를 말할 때 우리 둘 다 엄지손가락을 올릴 수 있어.

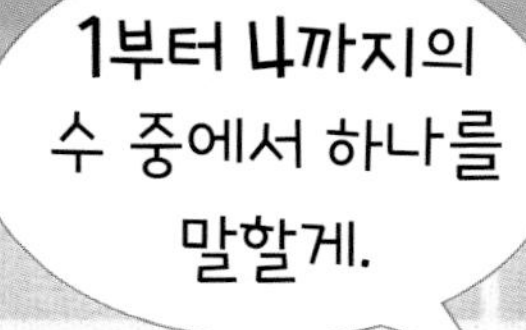

내가 먼저 할게! 3!

올라간 손가락이 모두 2개니까 틀렸어. 이제 내 차례야.

엄마는 선생님!

게임을 통해 연산의 기초가 되는 작은 수의 가르기와 모으기를 익힐 수 있습니다.

03

친구들이 과일 카드를 3장씩 가지고 있네요. 과일이 모두 5개가 되려면 어떤 카드 2장이 필요할까요? 2장의 카드를 찾아 ○표 해 보세요.

Let's play! 활동지 ②

① 다음과 같이 1~4 카드와 ❤ 카드를 18장 준비합니다.

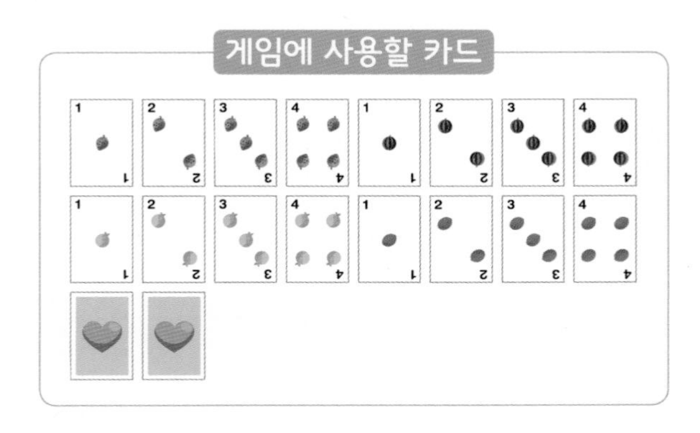

② 8장을 뒤집어 바닥에 놓고, 남은 카드는 쌓아 놓습니다.

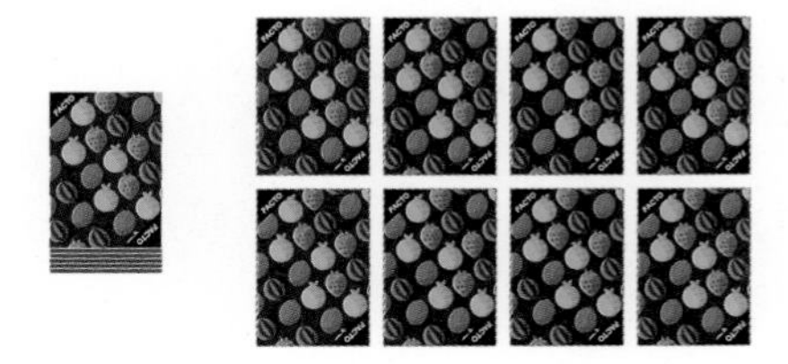

③ 가위바위보를 하여 진 사람부터 번갈아 가며 카드 2장을 동시에 펼칩니다.

경우1 펼친 카드의 과일이 5개인 경우

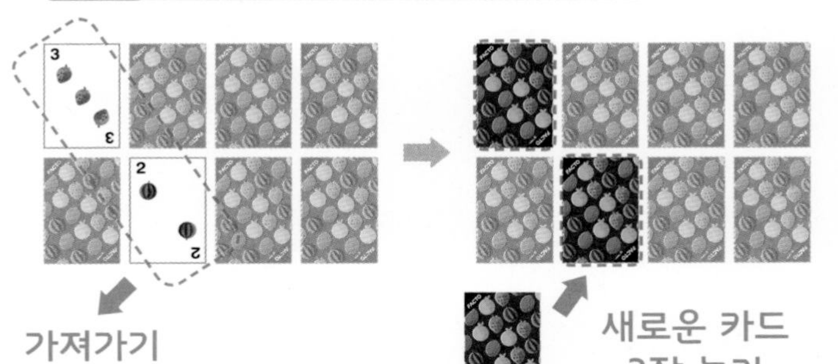

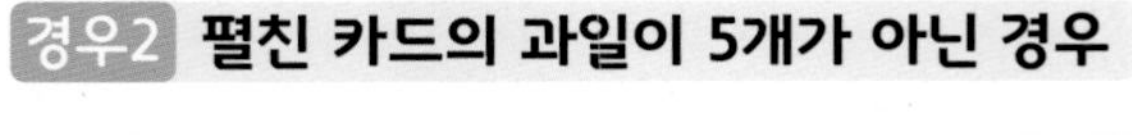

경우2 펼친 카드의 과일이 5개가 아닌 경우

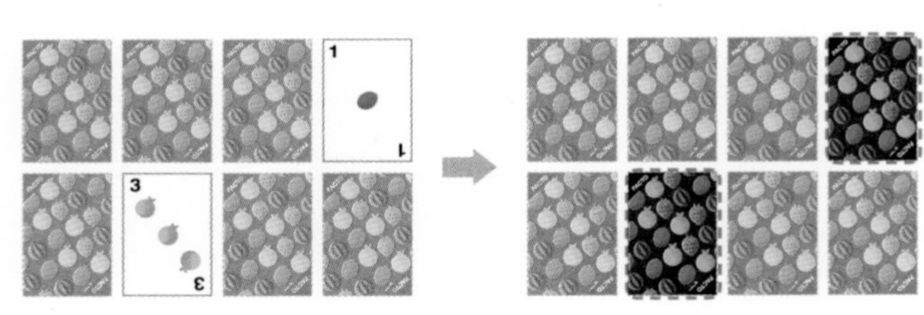

④ 만약 펼친 카드 중 ❤ 가 있으면, 그 카드 2장을 모두 가져가고 새로운 카드 2장을 놓습니다.

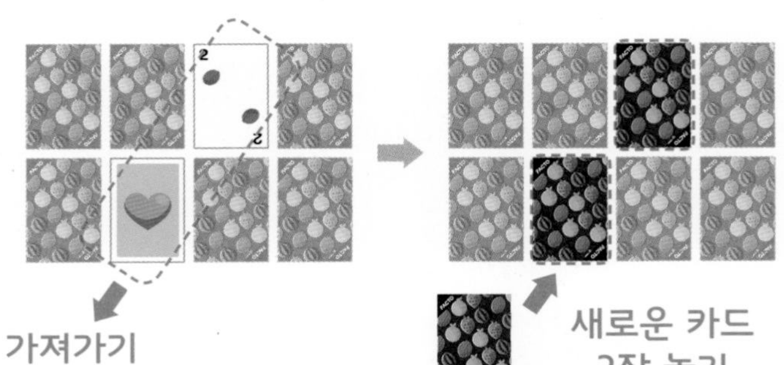

⑤ 카드가 모두 없어지면 게임이 끝납니다. 이때 카드를 더 많이 모은 사람이 이깁니다.

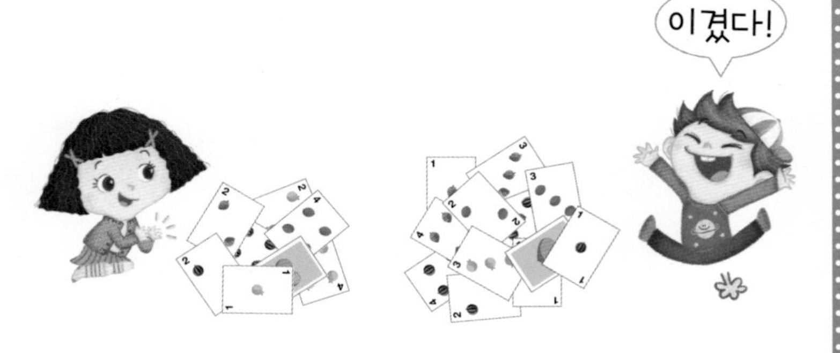

엄마는 선생님! 카드 놀이를 통해 다양한 방법으로 5 모으기를 할 수 있습니다.

04
친구들이 쿠키 4개, 초콜릿 5개를 먹으려고 해요. 그런데 각자 두 접시만 가져갈 수 있어요. 어떤 접시를 가져가야 하는지 여러 가지 방법으로 선을 그어 알아보세요.
쿠키는 4개씩 먹자.

초콜릿은 5개씩 먹자.
엄마는 선생님!
여러 가지 방법으로 4, 5 모으기를 하며 덧셈의 기초를 형성할 수 있습니다.

풀잎 위에 무당벌레들이 있어요. 4마리가 모여 있기도 하고, 5마리가 모여 있기도 하네요.
무당벌레를 여러 가지 방법으로 가르기 해 보세요.

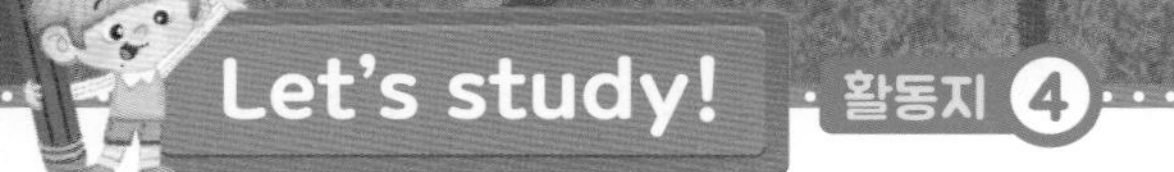

활동지 4

❶ 노란색 주사위를 굴려 ▢에 놓습니다.

4 가르기

무당벌레 칩 올려놓는 곳

1이 나왔어!

❷ 4를 가르기 하여 ▢에 알맞은 수의 무당벌레 칩을 올려놓습니다.

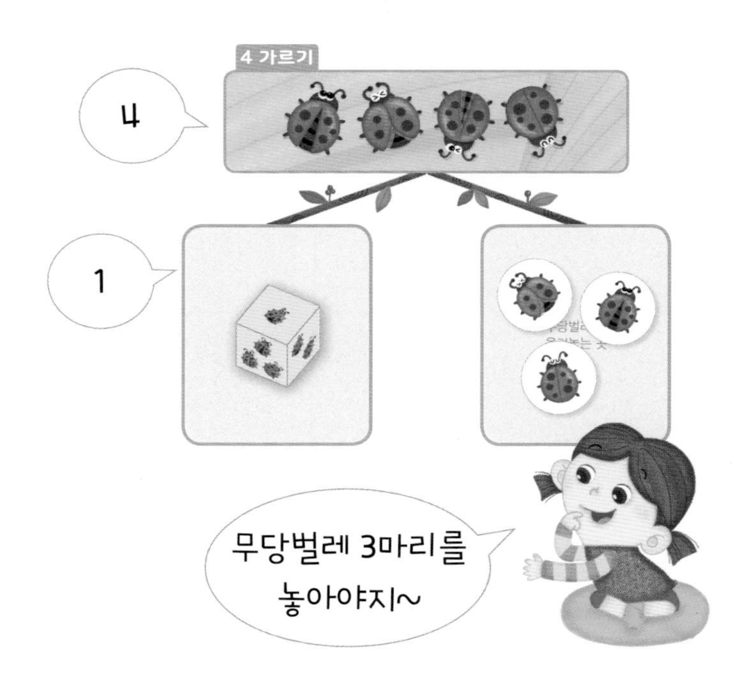

❸ 같은 방법으로 파란색 주사위를 이용하여 '5 가르기'를 해 봅니다.

4 가르기
주사위
올려놓는 곳
무당벌레 칩
올려놓는 곳
5 가르기
주사위
올려놓는 곳
무당벌레 칩
올려놓는 곳
엄마는 선생님!
여러 가지 방법으로 4, 5를 두 수로 가르기 하여 뺄셈의 기초를 형성할 수 있습니다.

06

친구들이 과수원에서 과일을 따고 있어요. 두 바구니에 어떻게 나누어 담을 수 있을까요?
과일 4개와 5개를 **여러 가지 방법으로 가르기** 해 보세요. 붙임딱지 ①

붙임딱지 붙이는 곳

붙임딱지 붙이는 곳

붙임딱지
붙이는 곳
붙임딱지
붙이는 곳
붙임딱지
붙이는 곳
붙임딱지
붙이는 곳
엄마는 선생님!
뺄셈의 기초가 되는 4, 5 가르기를 다양한 방법으로 익힐 수 있습니다.

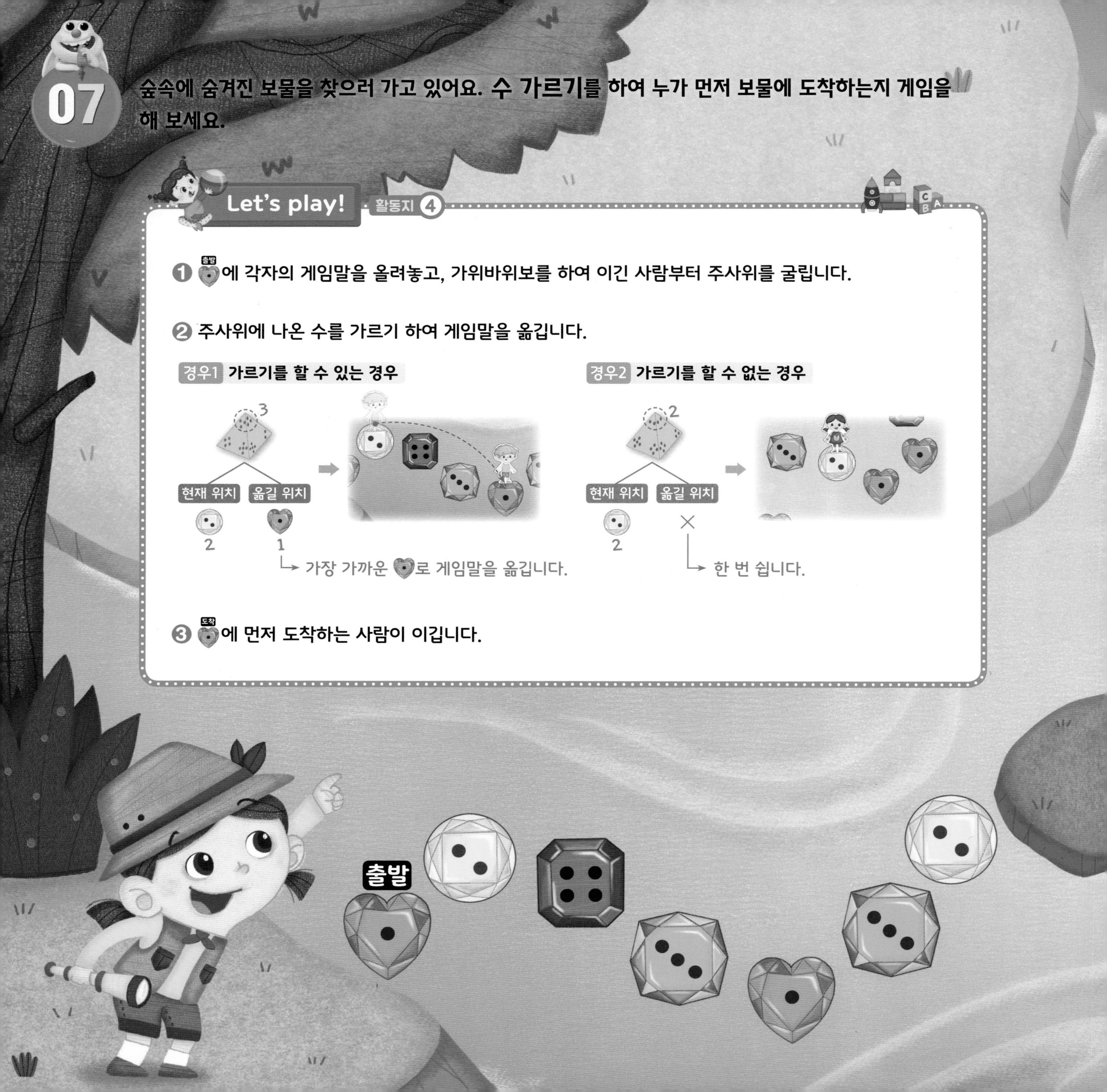

07

숲속에 숨겨진 보물을 찾으러 가고 있어요. **수 가르기**를 하여 누가 먼저 보물에 도착하는지 게임을 해 보세요.

Let's play! · 활동지 ④

❶ (출발)에 각자의 게임말을 올려놓고, 가위바위보를 하여 이긴 사람부터 주사위를 굴립니다.

❷ 주사위에 나온 수를 가르기 하여 게임말을 옮깁니다.

경우1 가르기를 할 수 있는 경우

└→ 가장 가까운 (♥)로 게임말을 옮깁니다.

경우2 가르기를 할 수 없는 경우

└→ 한 번 쉽니다.

❸ (도착)에 먼저 도착하는 사람이 이깁니다.

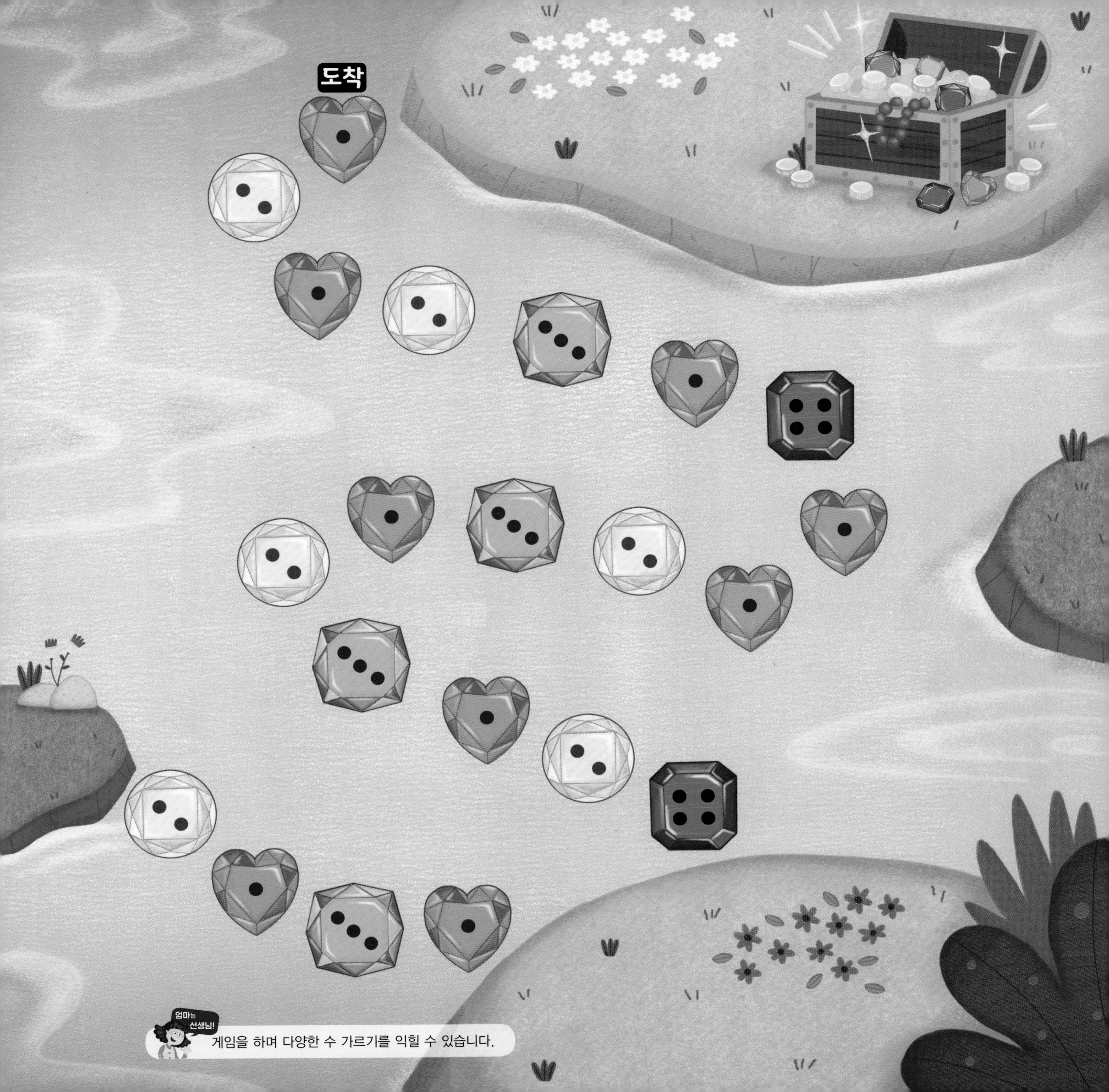
도착
엄마는 선생님!
게임을 하며 다양한 수 가르기를 익힐 수 있습니다.

08 칩을 1개만 옮겨 이웃한 두 칸의 칩의 개수가 4, 5, 6, 7이 되도록 만들어 보세요.

① 다음과 같이 4~7 카드 16장과 칩 10개를 준비합니다.

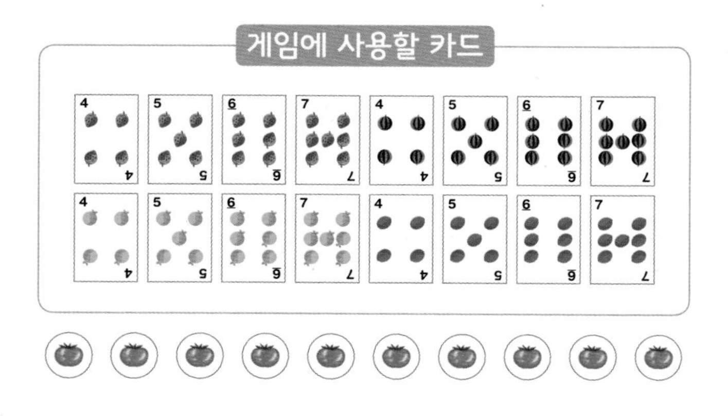

② 활동판에 칩 10개를 다음과 같이 놓고, 카드를 잘 섞어 쌓아 놓습니다.

③ 카드 1장을 뒤집습니다. 그리고 칩 1개를 옮겨 이웃한 두 칸의 칩의 개수가 카드에 적힌 수와 같게 만듭니다.

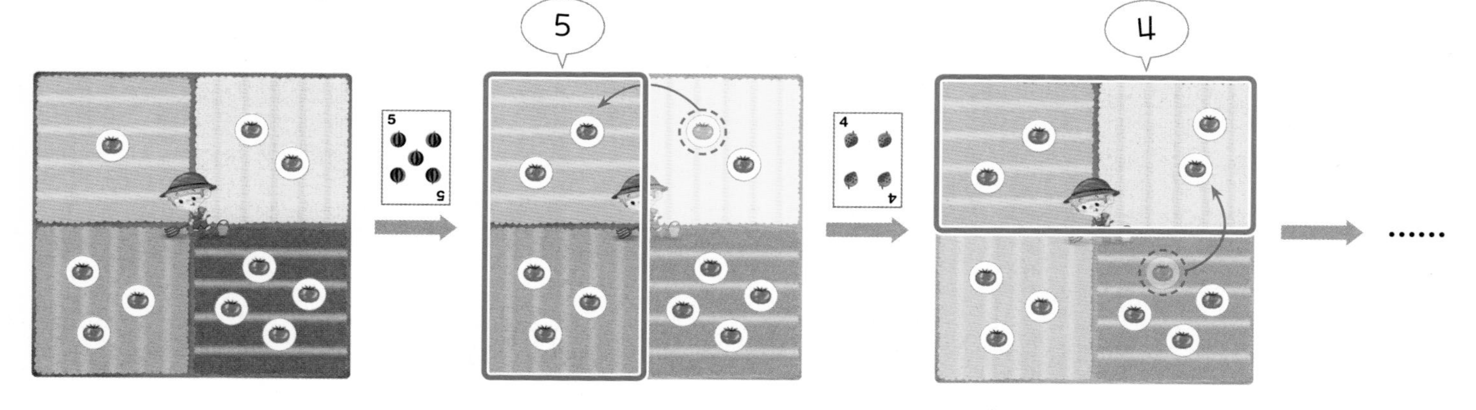

④ 카드 16장을 모두 뒤집을 때까지 수 모으기를 합니다.

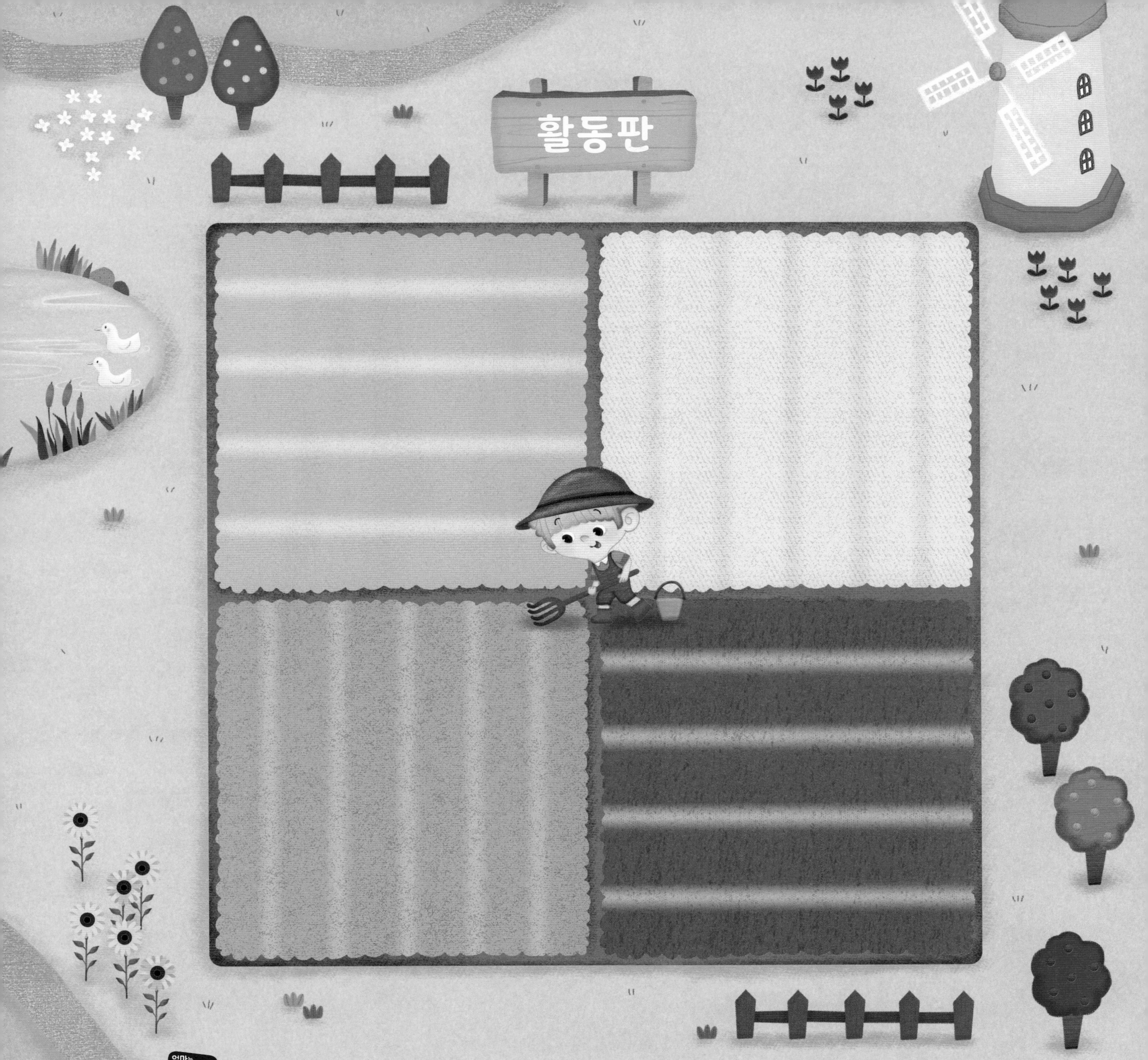

활동판

엄마는 선생님!

여러 가지 방법으로 모으기를 하여 4, 5, 6, 7을 만들 수 있습니다.

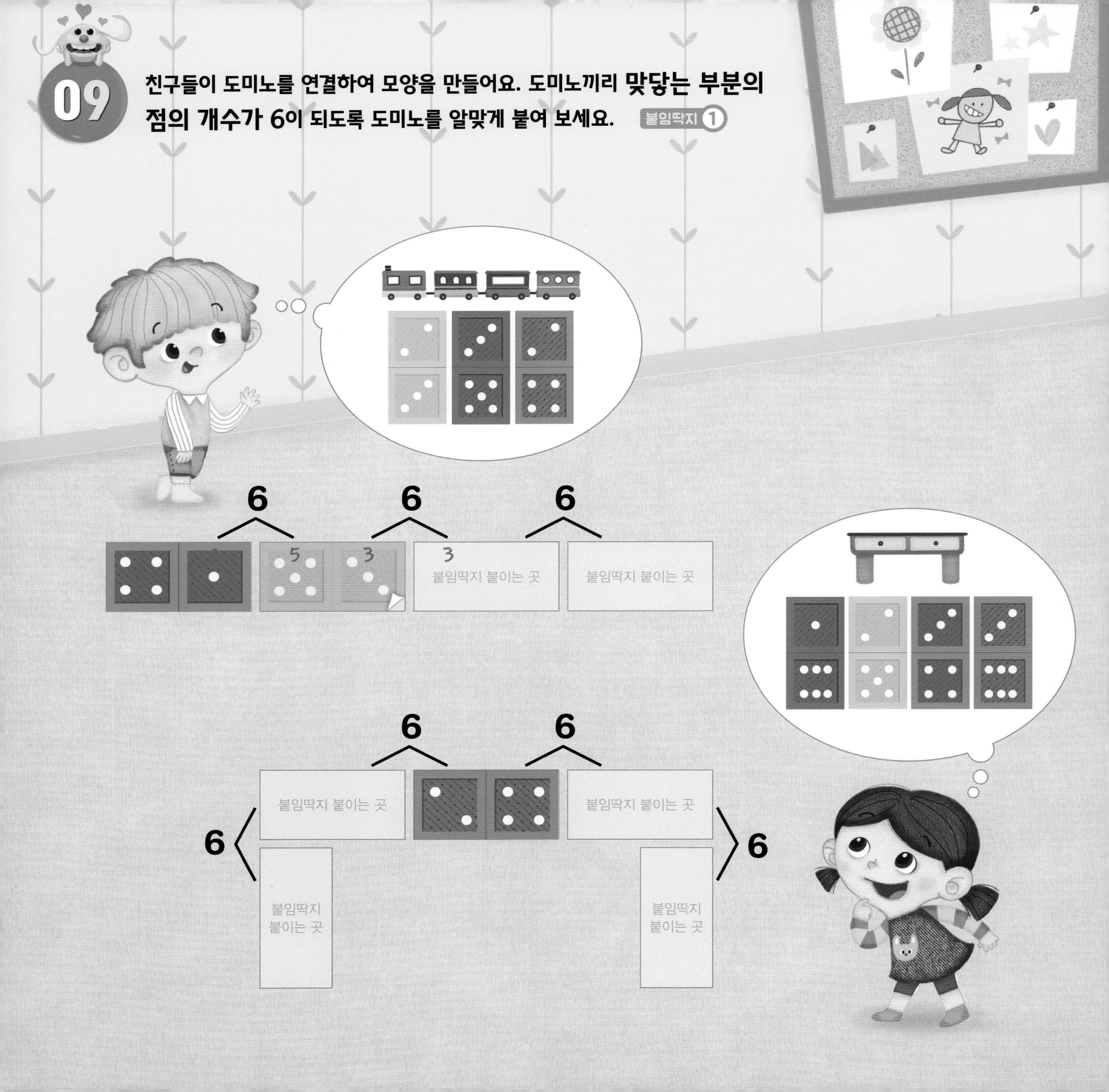
09
친구들이 도미노를 연결하여 모양을 만들어요. 도미노끼리 맞닿는 부분의 점의 개수가 6이 되도록 도미노를 알맞게 붙여 보세요.
붙임딱지 1
6
6
6
5
3
3
붙임딱지 붙이는 곳
붙임딱지 붙이는 곳
6
6
6
6
붙임딱지 붙이는 곳
붙임딱지 붙이는 곳
붙임딱지 붙이는 곳
붙임딱지 붙이는 곳

Let's play! 활동지 5

❶ 카드를 섞은 후 각자 5장씩 나누어 가집니다. 그리고 1장은 가운데에 펼쳐 놓고, 나머지는 한쪽에 쌓아 놓습니다.

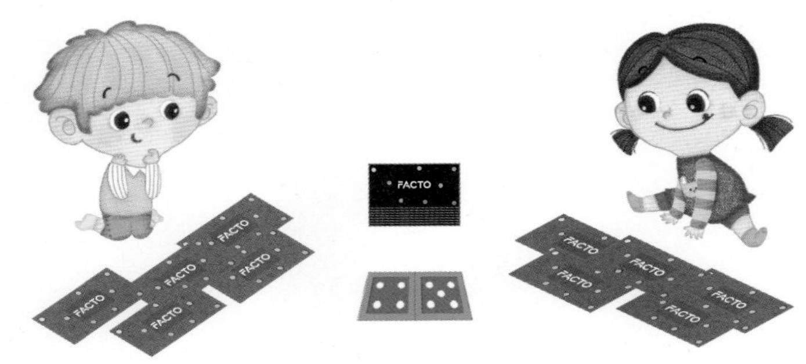

❷ 가위바위보를 하여 이긴 사람부터 번갈아 가며 자신의 카드 1장을 내려놓습니다. 이때 카드끼리 맞닿는 부분의 점의 개수가 6이 되도록 합니다.

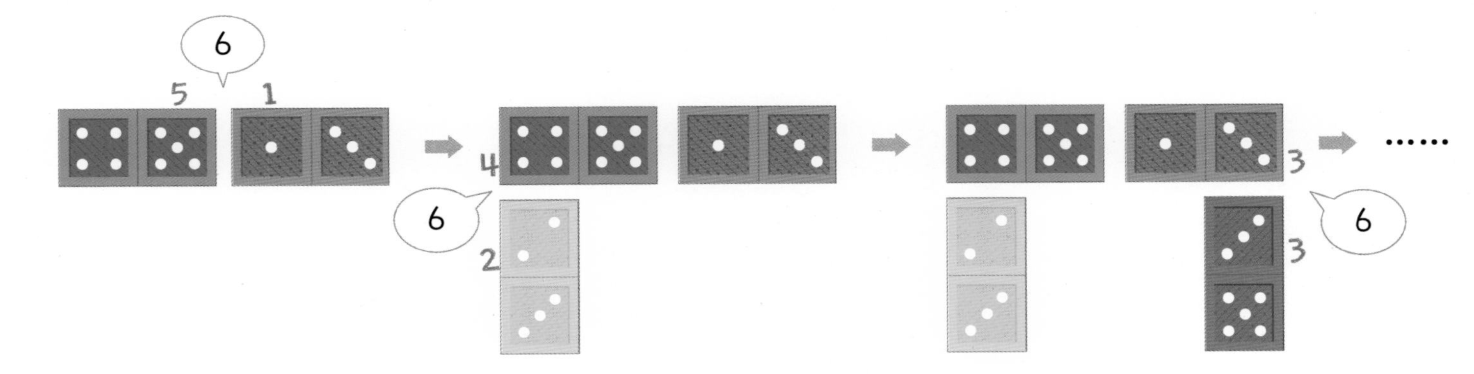

❸ 내려놓을 카드가 없으면 더미에서 카드 1장을 가져갑니다.

❹ 다음의 경우에 승리합니다.

승리1 자신의 카드를 먼저 모두 내려놓는 사람이 이깁니다.

승리2 더미에 카드가 없을 때에는 카드를 더 적게 가지고 있는 사람이 이깁니다.

엄마는 선생님!

여러 가지 방법으로 두 수를 모아 6을 만들 수 있습니다.

10 숲속 마을에 새들이 날아왔어요. 예쁜 나비와 꽃들도 보이네요.
같은 종류끼리 모아서 수를 세어 보세요.

개
마리
송이
엄마는 선생님!
그림의 개수를 세어 보면서 수 모으기의 기초를 익힐 수 있습니다.

11 여러 장의 점 카드들이 흩어져 있네요. 두 카드에 있는 점의 개수를 **모아서 8 또는 9 만들기** 게임을 해 보세요.

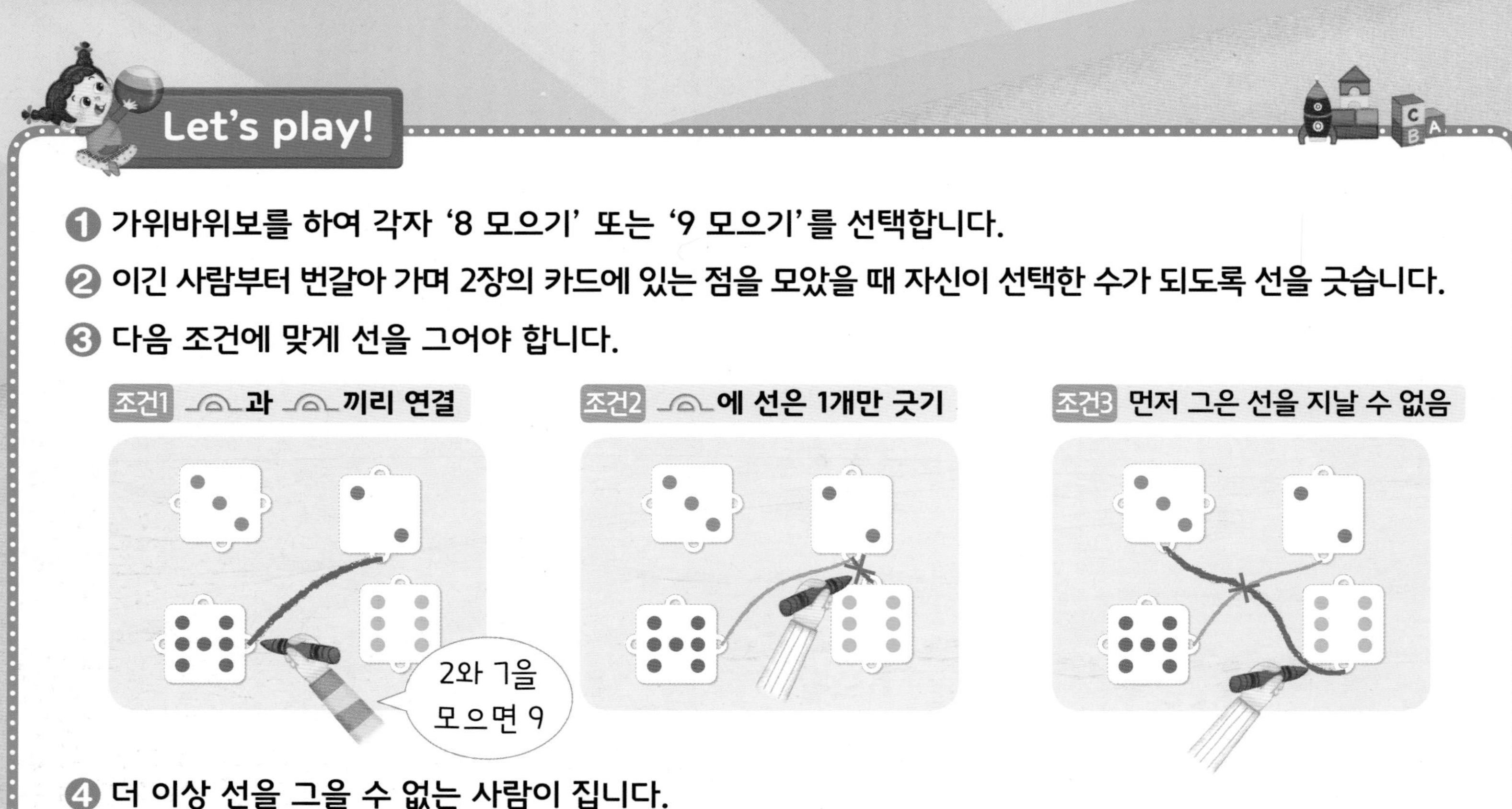

❶ 가위바위보를 하여 각자 '8 모으기' 또는 '9 모으기'를 선택합니다.

❷ 이긴 사람부터 번갈아 가며 2장의 카드에 있는 점을 모았을 때 자신이 선택한 수가 되도록 선을 긋습니다.

❸ 다음 조건에 맞게 선을 그어야 합니다.

조건1 과 끼리 연결

조건2 에 선은 1개만 긋기

조건3 먼저 그은 선을 지날 수 없음

❹ 더 이상 선을 그을 수 없는 사람이 집니다.

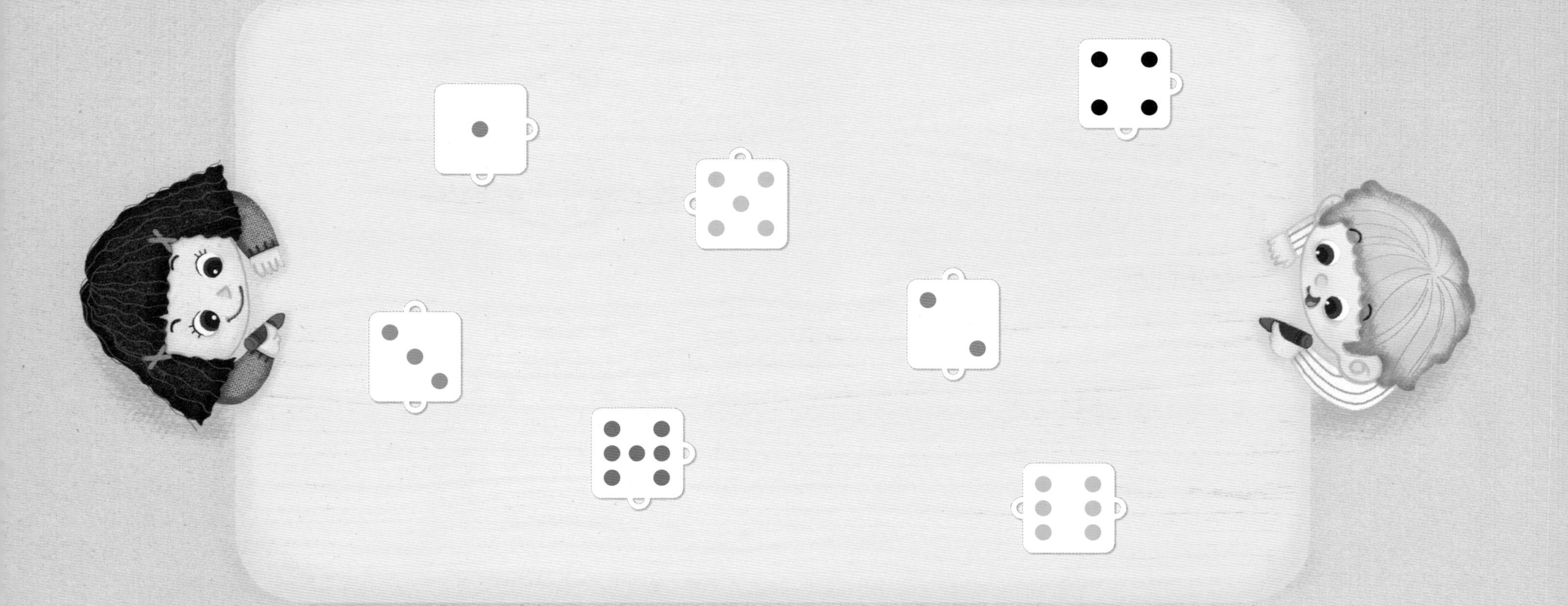

엄마는 선생님!

여러 가지 방법으로 두 수를 모아 8과 9를 만들 수 있습니다.

12 개미들이 6마리씩 모여 집으로 돌아가고 있어요. 비어 있는 개미집에 개미를 알맞게 붙여 보세요.

붙임딱지 ①

붙임딱지
붙이는 곳
붙임딱지
붙이는 곳
엄마는 선생님!
여러 가지 방법으로 6을 두 수로 가르기 할 수 있습니다.

13

친구들이 벽에 그림을 그리며 놀고 있어요. 7과 8에 맞게 펼친 손가락을 그렸네요.
빈 곳에 알맞은 손가락 그림을 붙여 보세요. 붙임딱지 1

8
붙임딱지
붙이는 곳
8
붙임딱지
붙이는 곳
8
붙임딱지
붙이는 곳
엄마는
선생님!
손가락의 펼친 모양을 보고 7과 8의 가르기를 익힐 수 있습니다.

14 **친구들이 각자 9개의 칩을 가지고 있어요. 그런데 한 손만 펼치고 있네요. 주먹을 쥔 손에는 칩이 몇 개 있을까요?** 붙임딱지 1

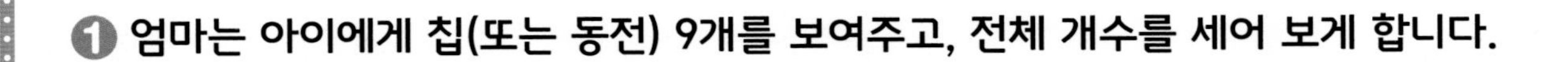

❶ 엄마는 아이에게 칩(또는 동전) 9개를 보여주고, 전체 개수를 세어 보게 합니다.

❷ 칩을 양손에 나누어 쥔 후, 한쪽 손을 펼쳐 아이에게 보여줍니다.

❸ 아이는 엄마 손 위의 칩을 세어 다른 쪽 손에 있는 칩의 개수를 맞힙니다.

❹ 서로 역할을 바꾸어서도 해 봅니다.

❺ 같은 방법으로 전체 칩의 개수를 바꾸어 다른 수의 가르기도 해 봅니다.

엄마는 선생님!

여러 가지 방법으로 9를 두 수로 가르기 할 수 있습니다.

15 수 카드를 이용하여 8 또는 9 모으기와 가르기 게임을 해 보세요.

❶ 다음과 같이 1~8 카드 32장을 준비합니다.

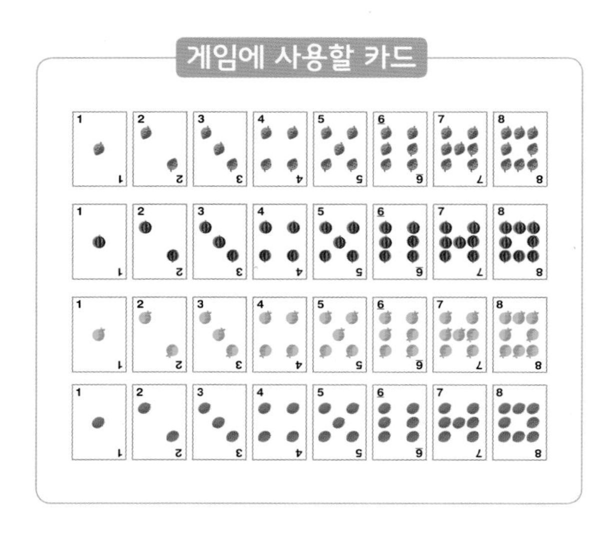

❷ 카드를 섞은 후 각자 5장씩 나누어 가집니다. 그리고 3장은 에 펼쳐 놓고, 나머지는 한쪽에 쌓아 놓습니다.

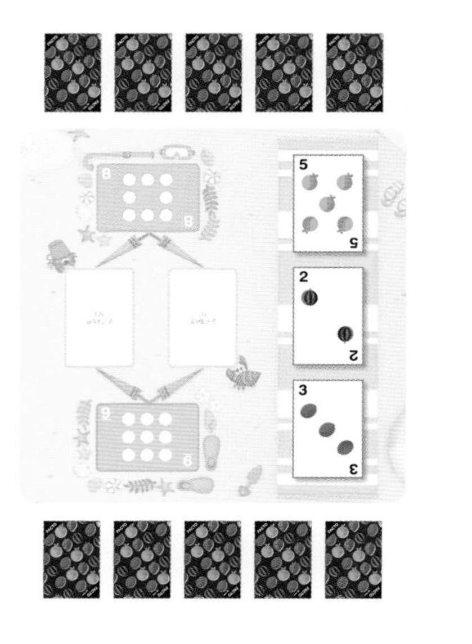

❸ 서로 번갈아 가며 자신의 카드 1장과 의 카드 1장에 있는 수를 모아 8 또는 9가 되도록 에 놓습니다.

❹ ❸과 같이 모으기를 한 경우에는 카드를 치우고, 중 빈 곳에는 더미에서 카드 1장을 가져와 펼칩니다.

❺ 만약 ❸과 같이 8 또는 9 모으기를 할 수 없을 때에는 더미에서 카드 1장을 가져갑니다.

❻ 다음의 경우에 승리합니다.

- 승리1 자신의 카드를 먼저 모두 내려놓는 사람이 이깁니다.
- 승리2 더미에 카드가 없을 때에는 카드를 더 적게 가지고 있는 사람이 이깁니다.

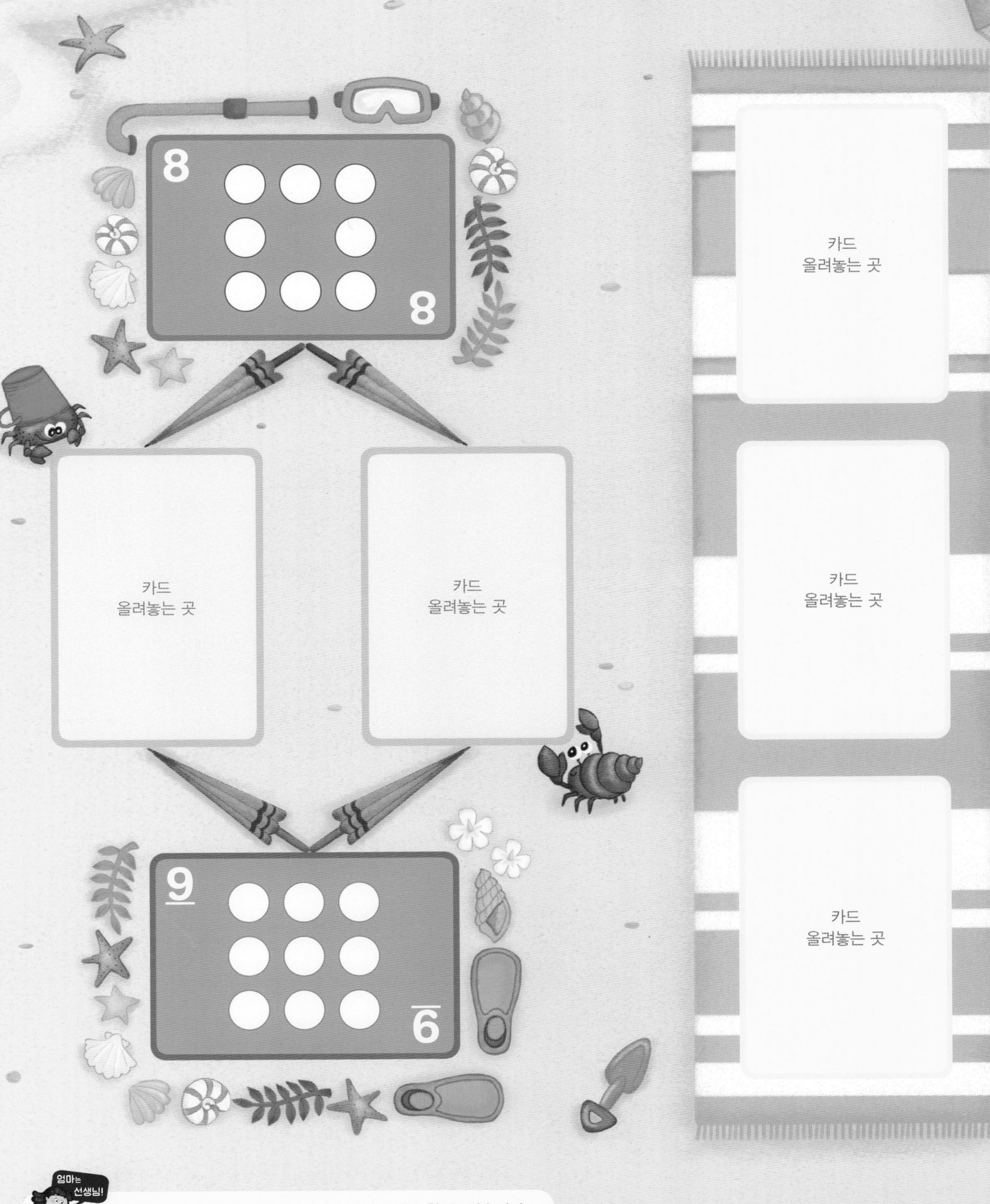

엄마는 선생님!

여러 가지 방법으로 8과 9의 모으기와 가르기를 할 수 있습니다.

16
친구들이 낚시를 하러 왔어요. 점이 모두 6개가 되도록 선을 그어 어떤 물고기가 잡혔는지 알아보세요.
2
5
1
3
5
3
4
1

여러 가지 방법으로 6 모으기와 가르기를 하며 덧셈과 뺄셈의 기초를 형성할 수 있습니다.

17

꽃밭에 나비들이 있어요. 나비의 날개와 꽃에는 점이 그려져 있네요.

점이 모두 7개가 되도록 꽃에 나비를 알맞게 붙여 보세요. 붙임딱지 1

나비
붙이는 곳
3
나비
붙이는 곳
2
나비
붙이는 곳
6
나비
붙이는 곳
5
엄마는 선생님!
여러 가지 방법으로 7 모으기와 가르기를 하며 덧셈과 뺄셈의 기초를 형성할 수 있습니다.

18 멋진 우주 공간이에요. 우주인이 우주선으로 돌아가려면 점이 모두 8개가 되어야 해요. 어떤 우주선으로 갈 수 있을지 선을 그어 알아보세요.

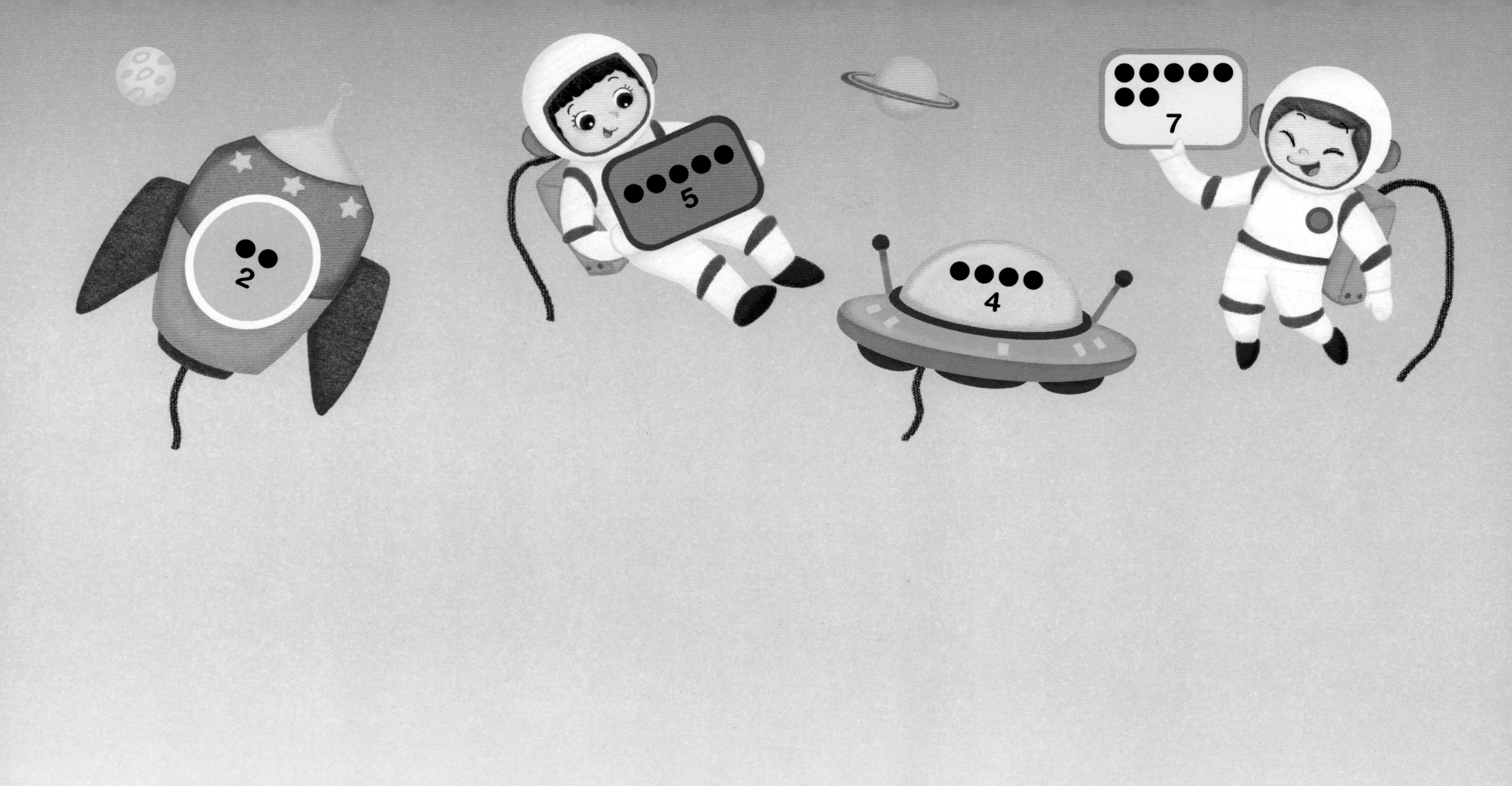

엄마는 선생님!

여러 가지 방법으로 8 모으기와 가르기를 하며 덧셈과 뺄셈의 기초를 형성할 수 있습니다.

19

연못에서 개구리들이 신나게 놀고 있어요. 개구리의 몸과 연잎 위에는 점이 그려져 있네요.
점이 모두 9개가 되도록 연잎에 개구리를 알맞게 붙여 보세요. 붙임딱지 2

1

8

개구리
붙이는 곳

2

개구리
붙이는 곳

3

개구리
붙이는 곳

5

여러 가지 방법으로 9 모으기와 가르기를 하며 덧셈과 뺄셈의 기초를 형성할 수 있습니다.

20 두 주사위의 점을 모아 수 모으기 빙고 게임을 해 보세요.

❶ 각자 주사위를 1개씩 나누어 가진 후, 주사위 2개를 동시에 굴립니다.

❷ 두 주사위의 점들을 모으고, 각자의 활동판에서 그 수를 찾아 1곳에만 칩을 올려놓습니다.

나와 3을 모으면 7

한 칸에만 놓아야 해!

❸ 상대방이 굴린 주사위에 이 나오면 상대방 활동판 위의 칩 1개를 없앨 수 있습니다. 두 사람 모두 이 나오면 주사위를 다시 굴립니다.

❹ 가로, 세로, 대각선으로 5개의 칩을 먼저 올려놓는 사람이 이깁니다.

<가로 5개>

<세로 5개>

<대각선 5개>

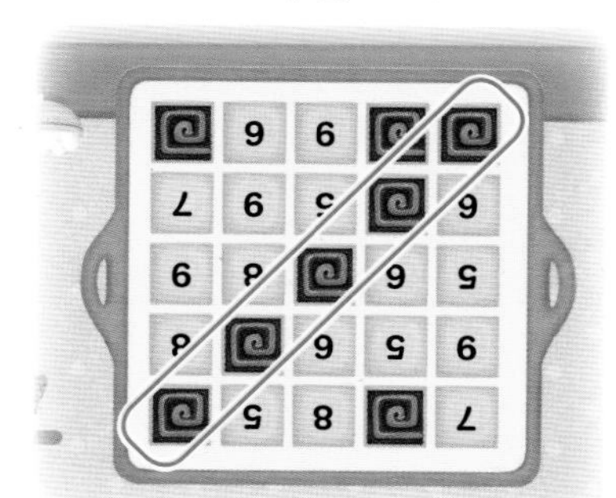

엄마는 선생님!

주사위를 사용하여 여러 가지 방법으로 5부터 9까지의 모으기를 할 수 있습니다.

21 친구들이 엄마와 함께 마트에 가서 달걀을 사려고 해요. **달걀판에는 달걀이 10개씩** 들어 있어요. **달걀 조각 2개**를 사용하여 각각의 달걀판을 완성해 보세요. 붙임딱지 ②

여러 가지 방법으로 두 수를 모아 10을 만들 수 있습니다.

22 친구들이 구슬 10개로 예쁜 목걸이를 만들려고 해요. 그런데 상자 속에 숨겨져 보이지 않는 구슬이 있네요. 상자 속에는 구슬이 몇 개 있을까요?

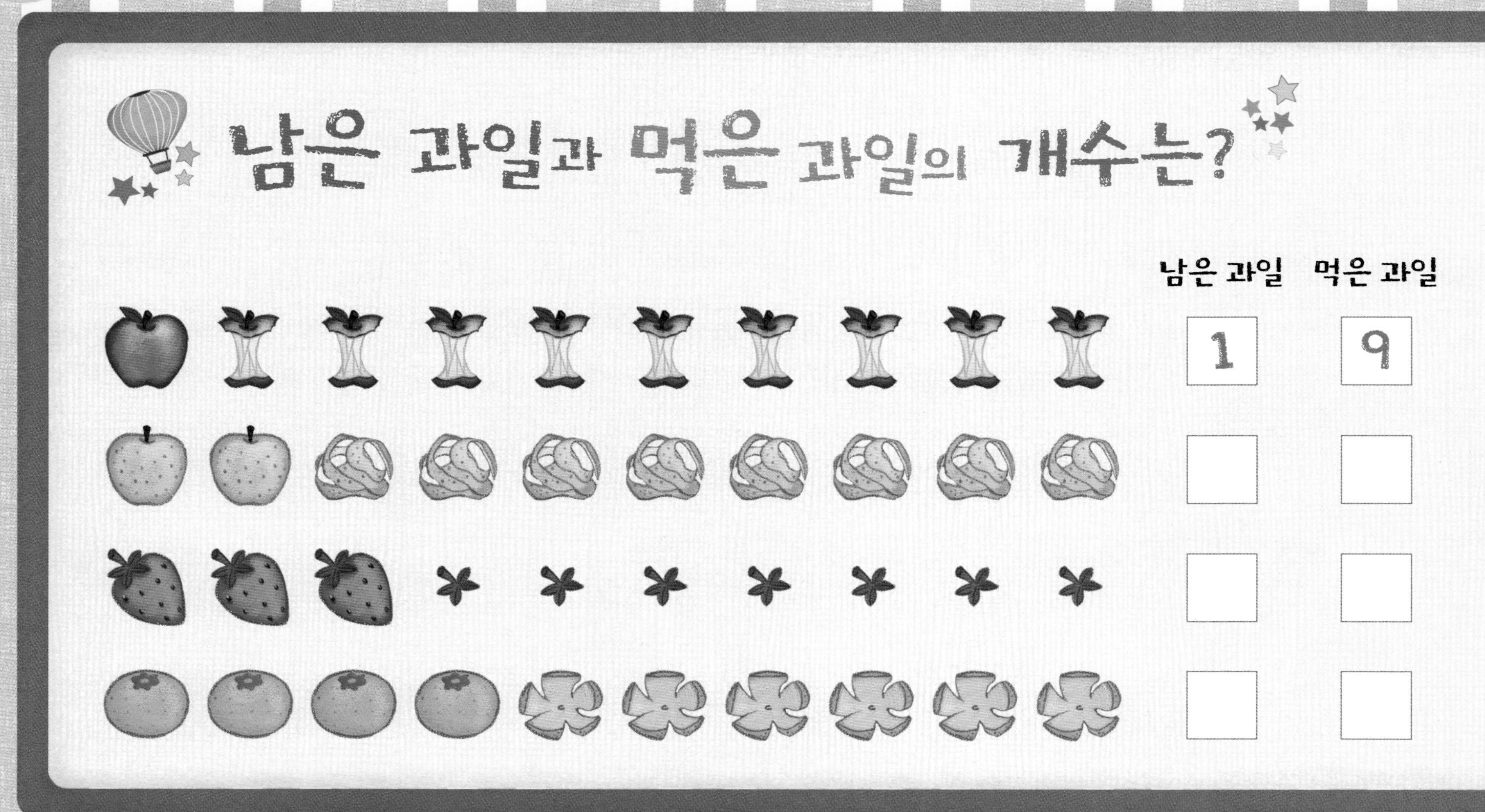

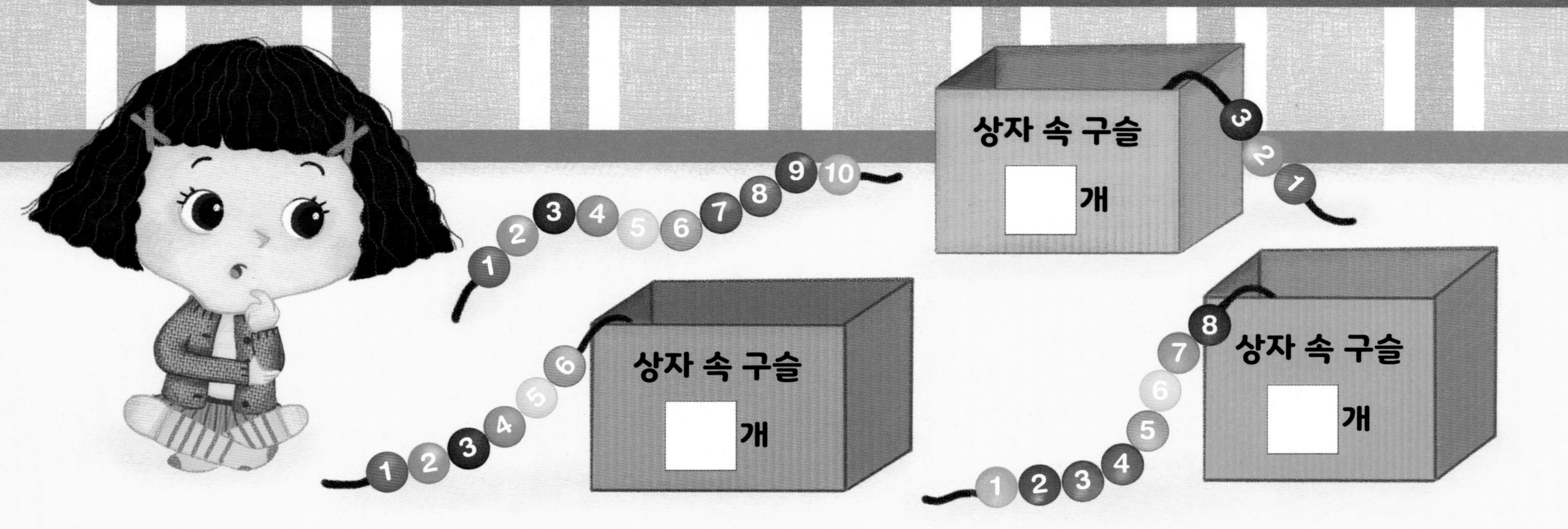

여러 가지 방법으로 10을 가르기 하며 10이 되는 두 수를 알 수 있습니다.

23

친구들이 강아지를 데리고 산책을 나왔어요. 친구와 강아지에 있는 수를 모으면 10이 돼요.
어떤 친구의 강아지인지 선을 그어 알아보세요.

엄마는 선생님!

여러 가지 방법으로 두 수를 모아 10을 만들 수 있습니다.

24

친구들이 카드 2장에 있는 **수를 모아 10 만들기** 게임을 하고 있네요.
친구의 손에 있는 카드와 짝이 되는 카드를 찾아 ○표 해 보세요.

Let's play! 활동지 ② ③

❶ 다음과 같이 1~9 카드 36장을 준비합니다.

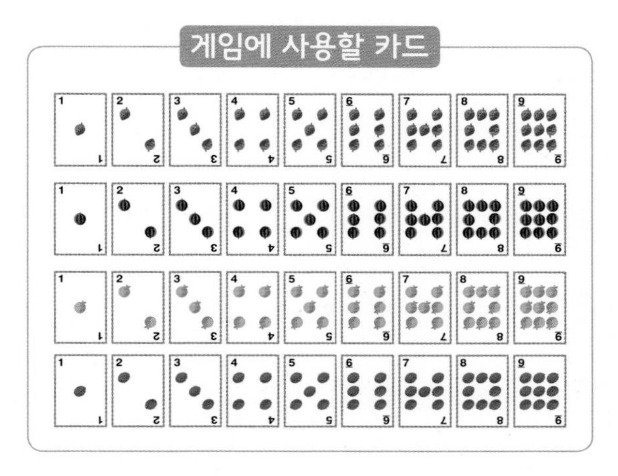

❷ 카드를 섞은 후 각자 8장씩 나누어 가집니다. 그리고 4장은 바닥에 펼쳐 놓고, 나머지는 한쪽에 쌓아 놓습니다.

❸ 가위바위보를 하여 이긴 사람부터 번갈아 가며 자신의 카드 1장을 내려놓고, 더미에 있는 카드 1장도 뒤집어 내려놓습니다.

3-1 자신의 카드 1장 내려놓기

자신이 내려놓은 카드와 바닥의 카드에 있는 과일을 모아 10이 되면 그 카드 2장을 가져갑니다. 10이 되지 않으면 그 카드는 바닥에 펼쳐 놓아 둡니다.

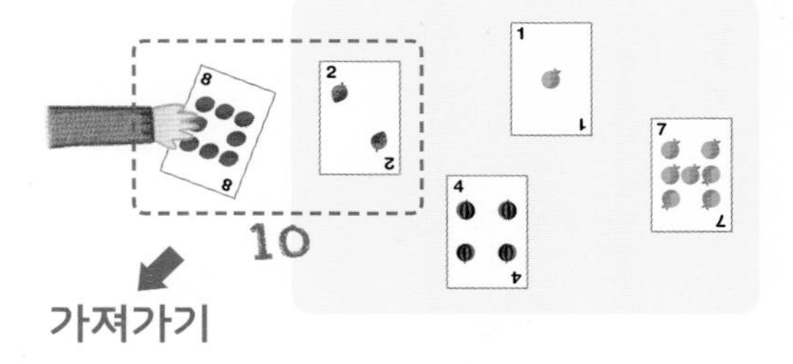

3-2 더미 카드 1장 뒤집어 내려놓기

더미에서 뒤집은 카드와 바닥의 카드에 있는 과일을 모아 10이 되면 그 카드 2장을 가져갑니다. 10이 되지 않으면 그 카드는 바닥에 펼쳐 놓아 둡니다.

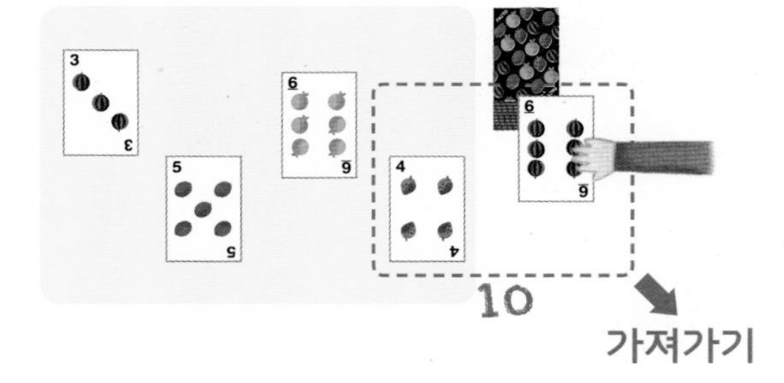

❹ 각자 가지고 있던 카드가 모두 없어지면 게임이 끝나고, 카드를 더 많이 모은 사람이 이깁니다.

엄마는 선생님! 게임을 하며 다양한 방법으로 10 만들기를 익힐 수 있습니다.

25 퍼즐 조각이 섞여 있네요. 두 조각에 있는 수를 모아서 10 만들기 게임을 해 보세요.

Let's play!

① 가위바위보를 하여 이긴 사람부터 번갈아 가며 2개의 조각에 적힌 수를 모았을 때 10이 되도록 연결합니다.

② 다음 조건에 맞게 선을 그어야 합니다.

조건1 조각의 [볼록한] 부분과 [오목한] 부분을 연결해야 합니다.

조건2 [볼록한] 또는 [오목한]에 선은 1개만 그을 수 있습니다.

조건3 먼저 그은 선을 지나갈 수 없습니다.

③ 더 이상 선을 그을 수 없는 사람이 집니다.

여러 가지 방법으로 두 수를 모아 10을 만들 수 있습니다.

26 도미노 카드가 어지럽게 섞여 있네요. 어떻게 정리하면 좋을까요? 도미노에 있는 점의 개수가 같은 카드끼리 붙여 보세요.

붙임딱지 2

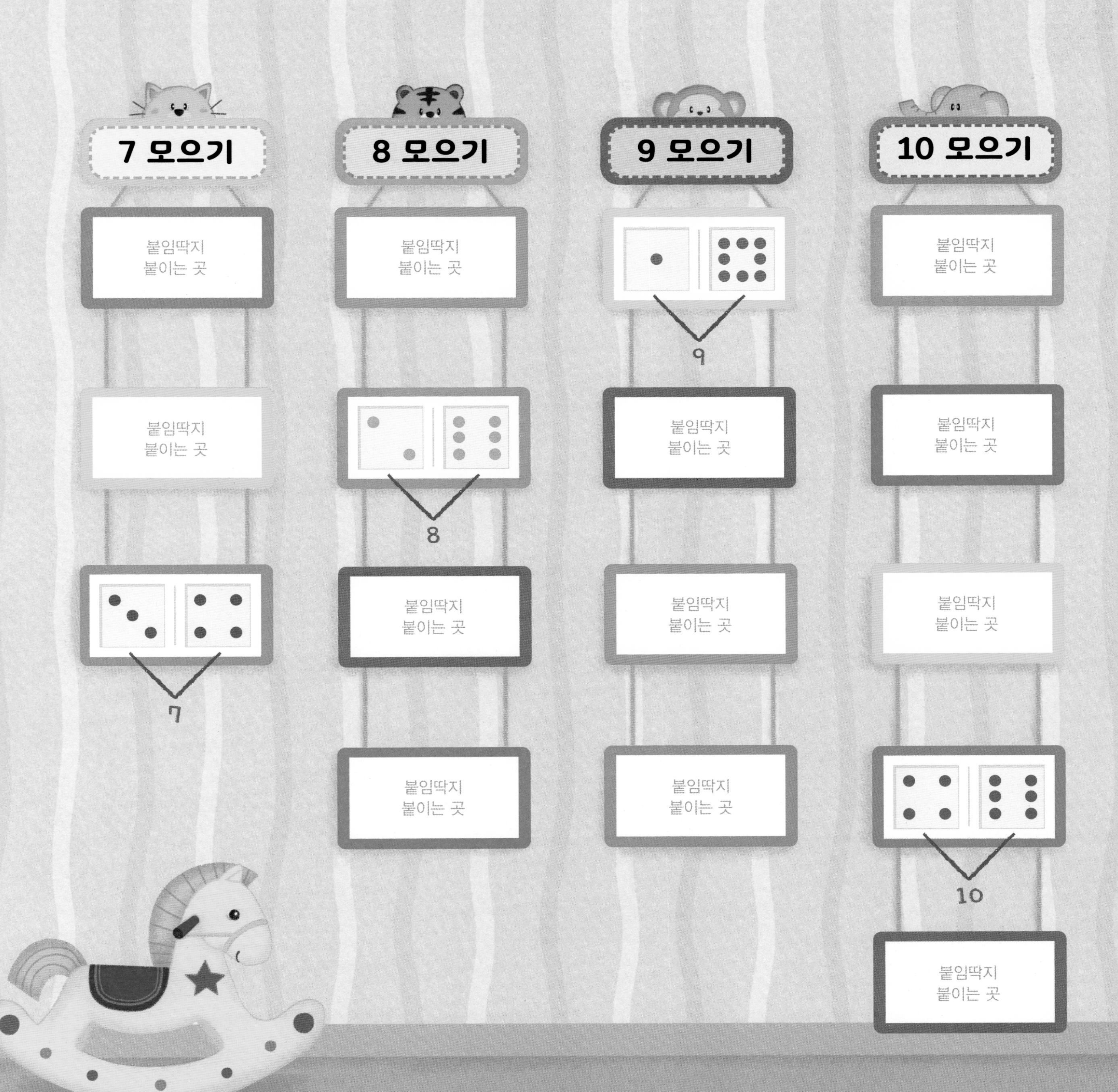

엄마는 선생님!

도미노를 사용하여 여러 가지 방법으로 4부터 10까지의 모으기를 할 수 있습니다.

27 게임 방법을 잘 보고, 친구와 함께 **수 모으기 줄다리기 게임**을 해 보세요.

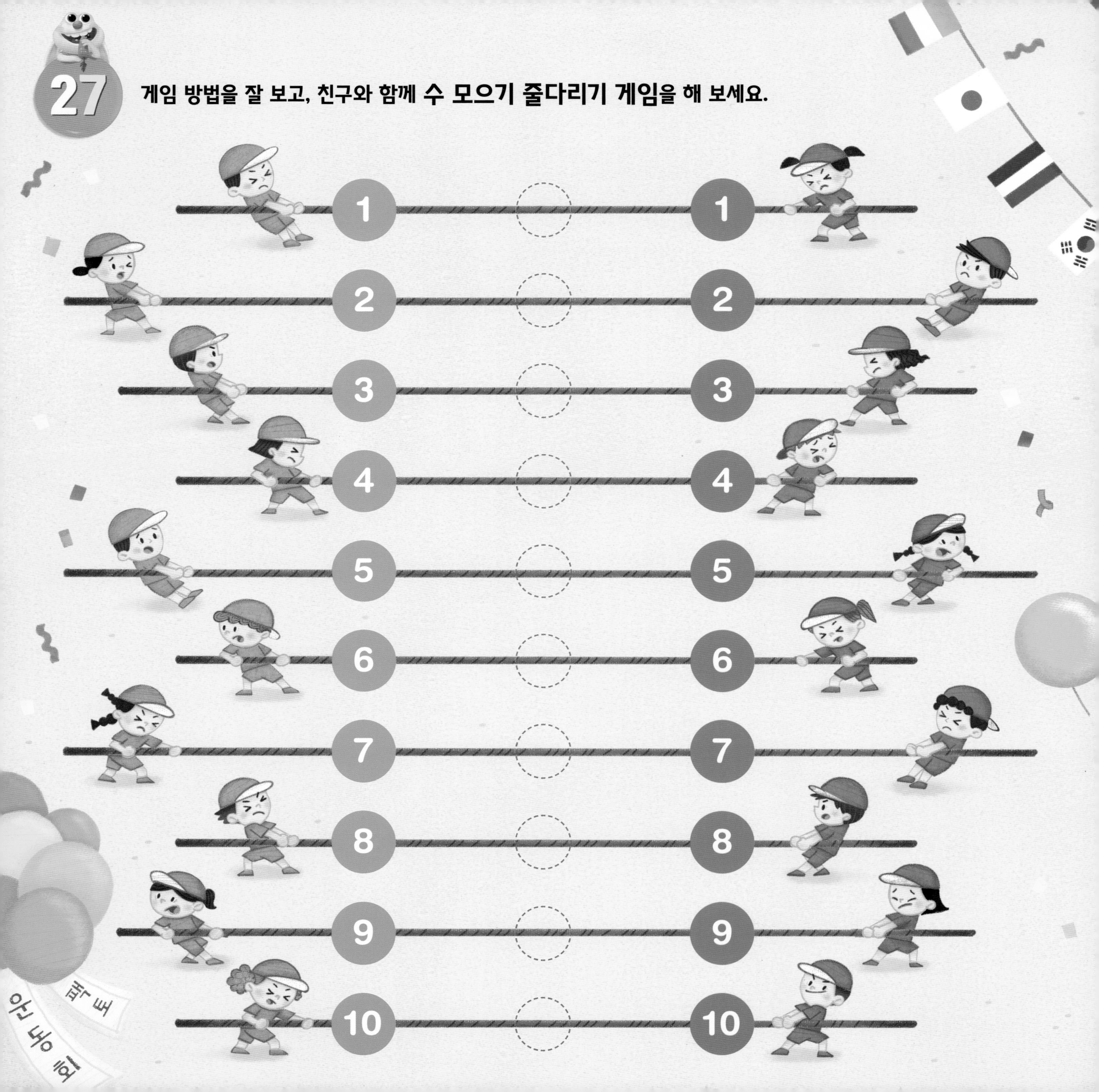

Let's play! 활동지 6

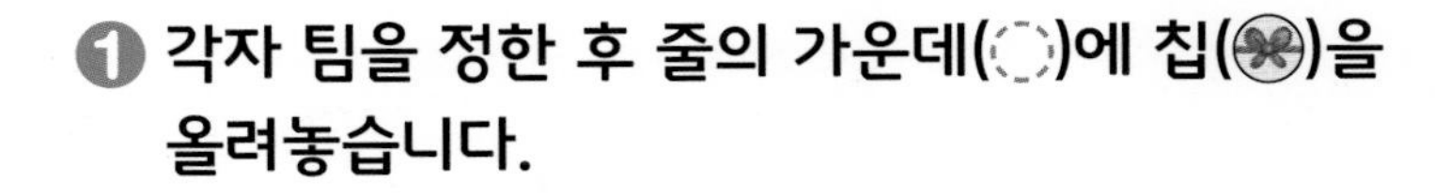

1. 각자 팀을 정한 후 줄의 가운데( )에 칩( )을 올려놓습니다.

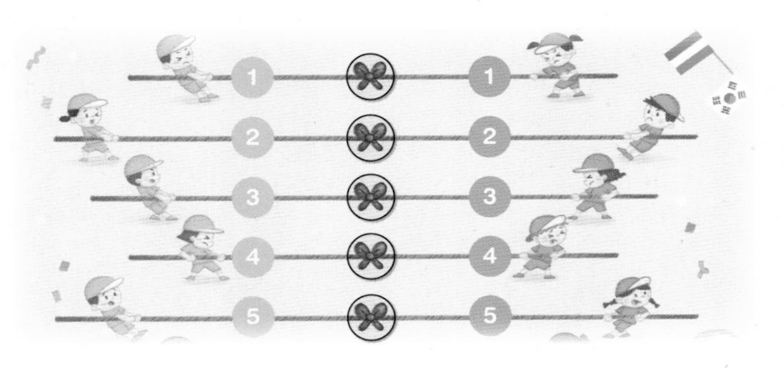

2. 가위바위보를 하여 이긴 사람부터 번갈아 가며 주사위 2개를 굴립니다.

3. 주사위 2개를 굴려 나온 점의 수를 모아서 그 수에 맞는 줄의 칩을 자신의 팀 쪽으로 한 칸 옮깁니다.

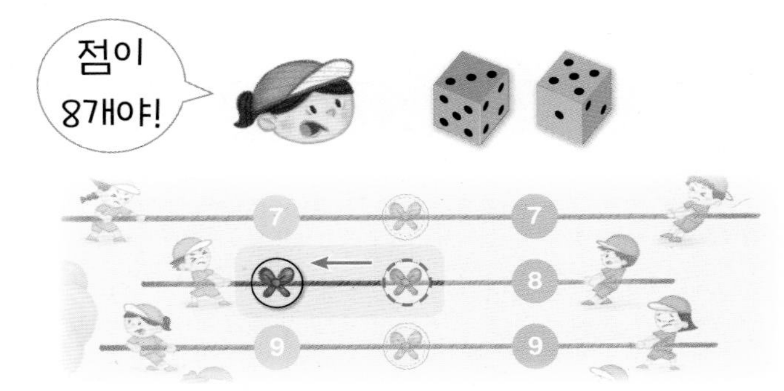

점이 8개야!

4. 모으기 한 수의 칩이 상대 팀 쪽에 있으면 칩을 자신의 팀 쪽으로 한 칸 옮겨 가운데에 놓습니다.

점이 5개야!

5. 모으기 한 수의 칩이 이미 자기 팀 쪽에 있으면 상대편에게 기회를 넘깁니다.

3이네.
네 차례야!

6. 자신의 팀 쪽에 나란히 3개의 칩을 먼저 놓는 사람이 이깁니다.

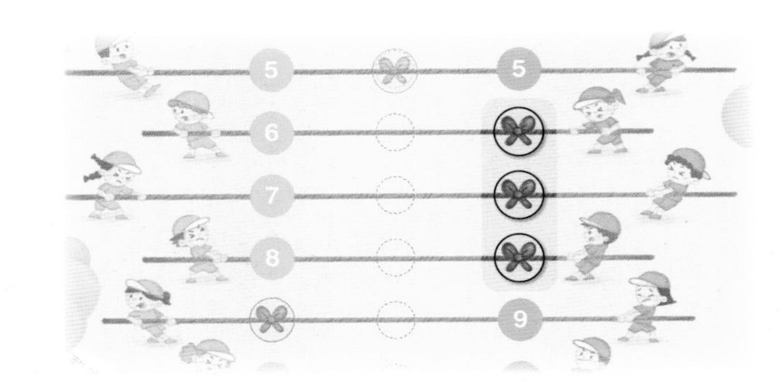

엄마는 선생님!

지금까지 모으기에 대해 배운 것을 게임을 통해 재미있게 익힐 수 있도록 합니다.

28

꽃밭에 벌이 날아왔어요. 꿀통을 든 벌도 보이네요. 그런데 꿀통에 숫자가 쓰여 있어요.
어떤 꽃잎의 두 수를 모아야 꿀통에 적힌 수가 될까요? 알맞은 꽃잎에 색칠해 보세요.

Let's study!

꽃잎에 적힌 두 수를 모아 꿀통에 적힌 수가 되도록 꽃잎에 색을 칠합니다.

옳은 경우

7 / 2, 4, 1, 6

1과 6을 모으면 7입니다.

틀린 경우

7 / 2, 4, 1, 6

2와 6을 모으면 8이므로 틀렸습니다.

5, 3, 4, 1 / 6

2, 3, 3, 5 / 6

엄마는 선생님!

여러 가지 방법으로 수의 모으기와 가르기를 하며 연산의 기초를 형성할 수 있습니다.

29 도미노 카드들에는 어떤 공통점이 있을까요? 주어진 도미노의 공통점을 찾아 카드를 차례로 붙여 보세요. 붙임딱지 2

Let's play! 활동지 5

❶ 카드를 섞은 후 각자 5장씩 나누어 가집니다. 그리고 카드 1장은 가운데에 펼쳐 놓고, 나머지는 한쪽에 쌓아 놓습니다.

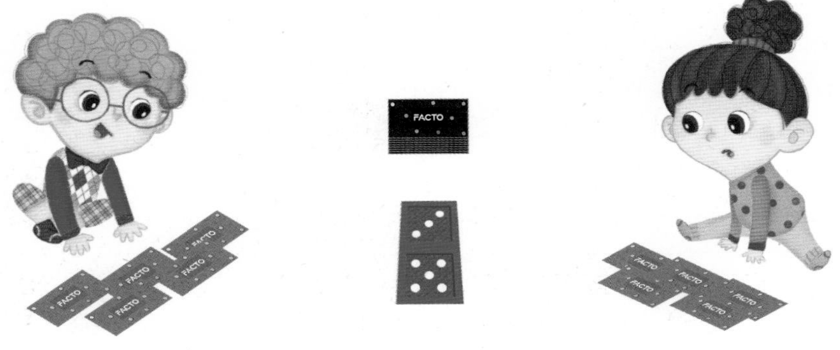

❷ 가위바위보를 하여 이긴 사람부터 번갈아 가며 자신의 카드 1장을 바닥에 있는 카드 위에 내려놓습니다. 이때 두 카드는 점의 개수 또는 색깔이 같아야 합니다.

점이 8개로 같아!
색깔이 같아!
점이 5개로 같아!
......

❸ 내려놓을 카드가 없으면 더미에서 카드 1장을 가져갑니다.

FACTO
1장 가져가기
내려놓을 카드가 없어!

❹ 자신이 가지고 있는 카드를 먼저 모두 내려놓는 사람이 이깁니다.

내가 이겼다!

엄마는 선생님! 색깔과 개수의 공통점을 이용한 도미노 카드 놀이를 통해 2부터 10까지의 모으기와 가르기를 익힐 수 있습니다.

30

친구들이 공원에서 배드민턴을 치고 있네요. 서로 마주 보는 두 수를 모아 9 또는 10이 되도록 선을 그어 보세요.

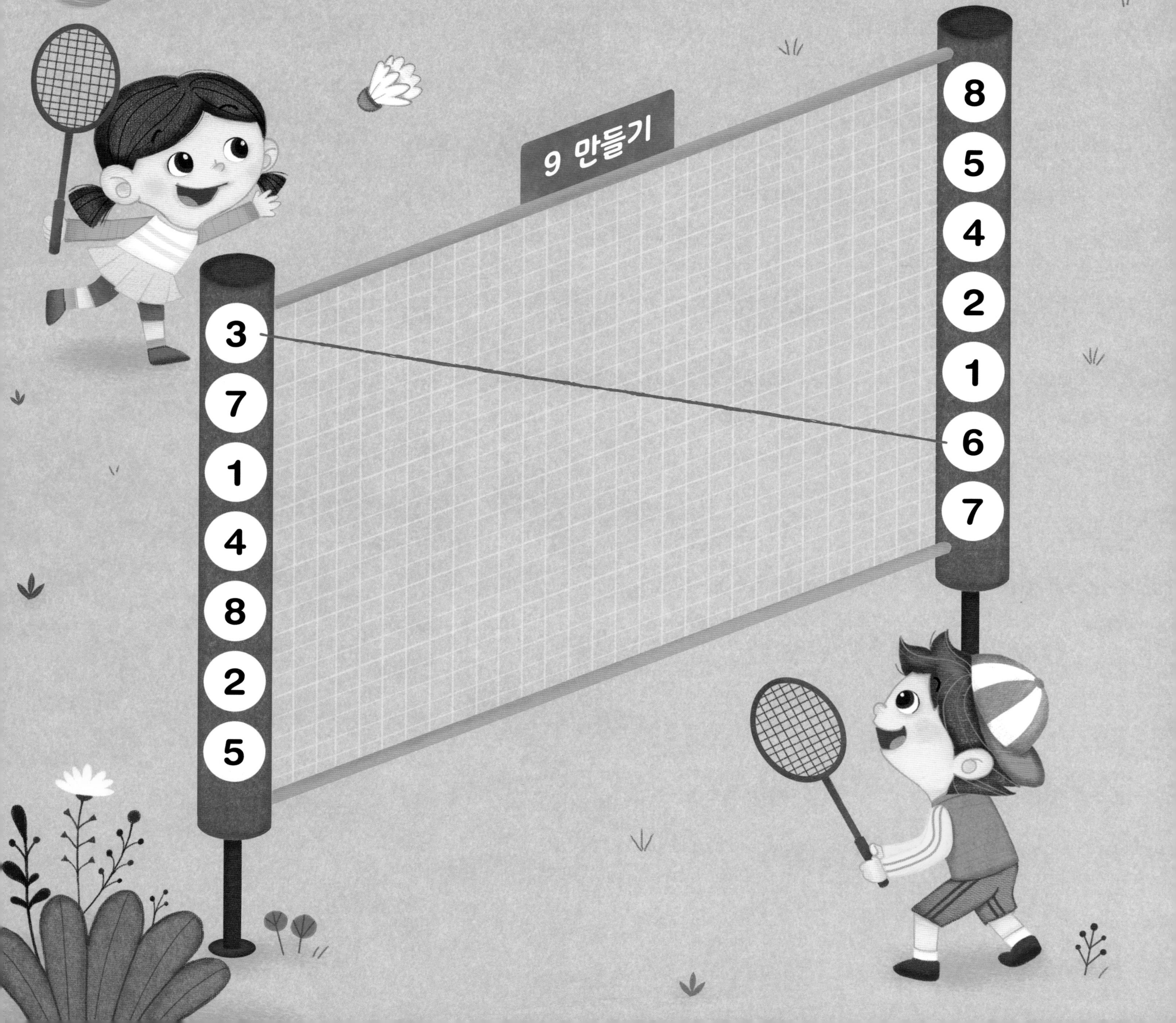

9 만들기

3	8
7	5
1	4
4	2
8	1
2	6
5	7

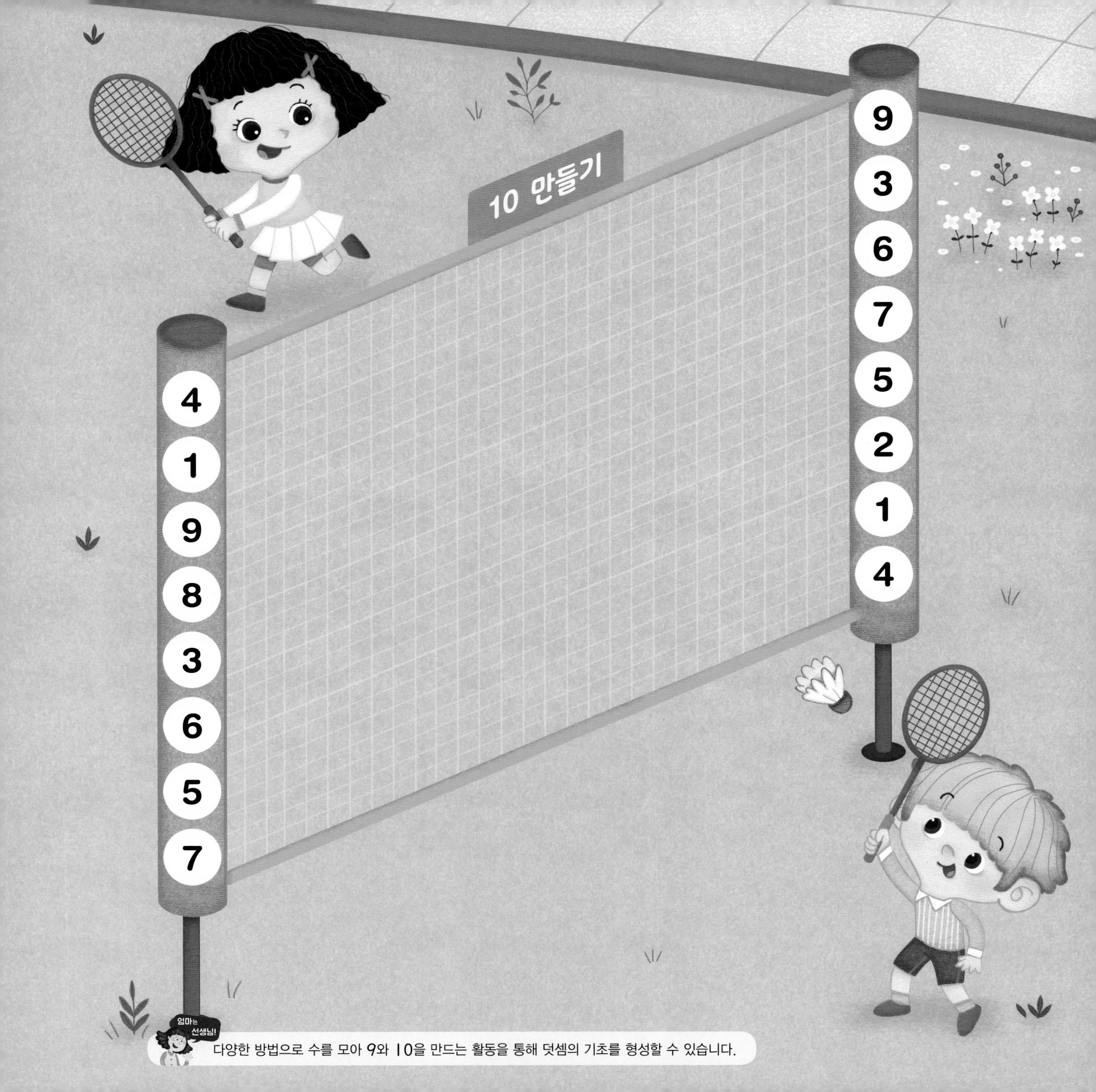
10 만들기
9
3
6
7
5
2
1
4
4
1
9
8
3
6
5
7
엄마는 선생님!
다양한 방법으로 수를 모아 9와 10을 만드는 활동을 통해 덧셈의 기초를 형성할 수 있습니다.

MEMO

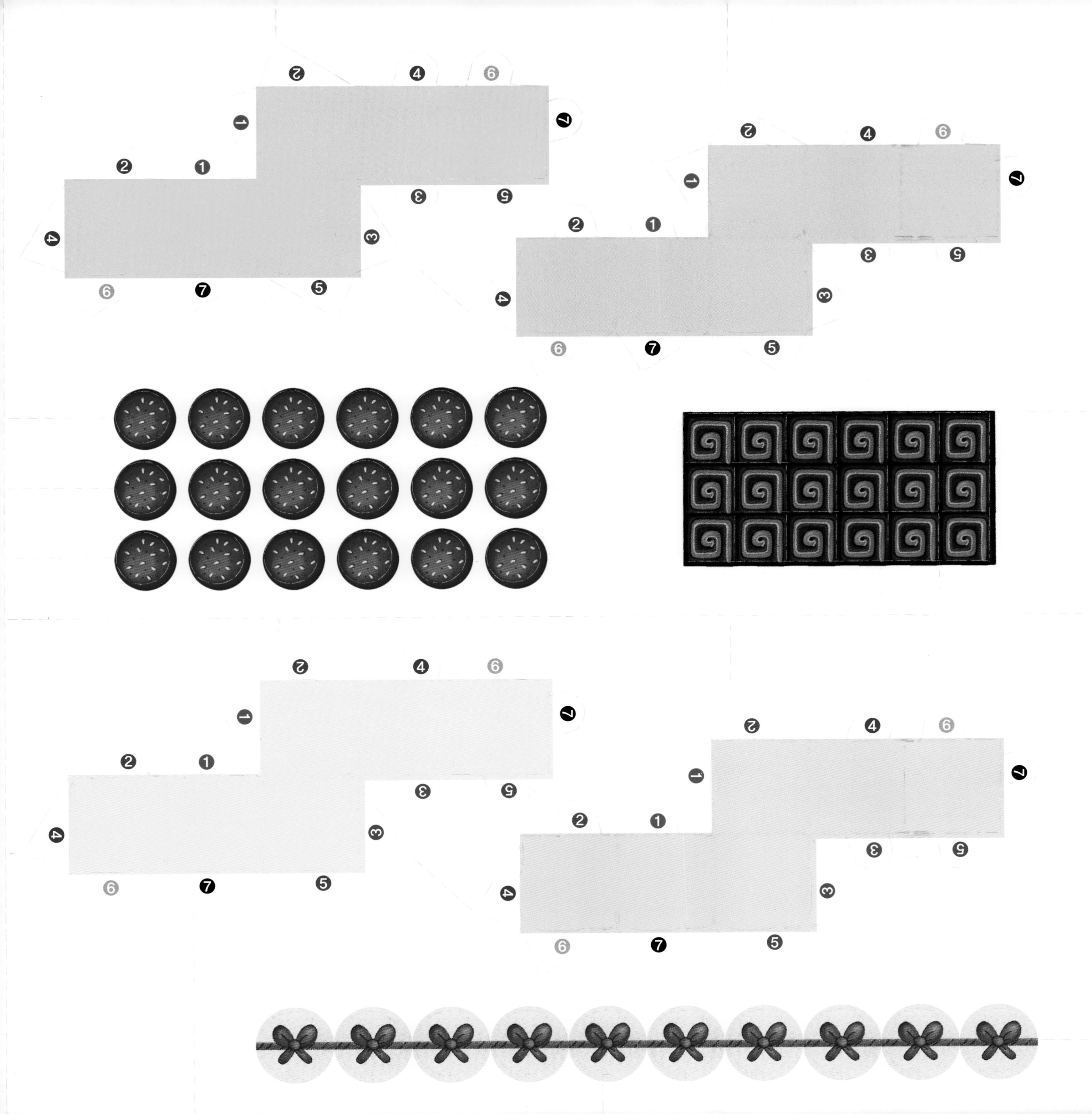

20

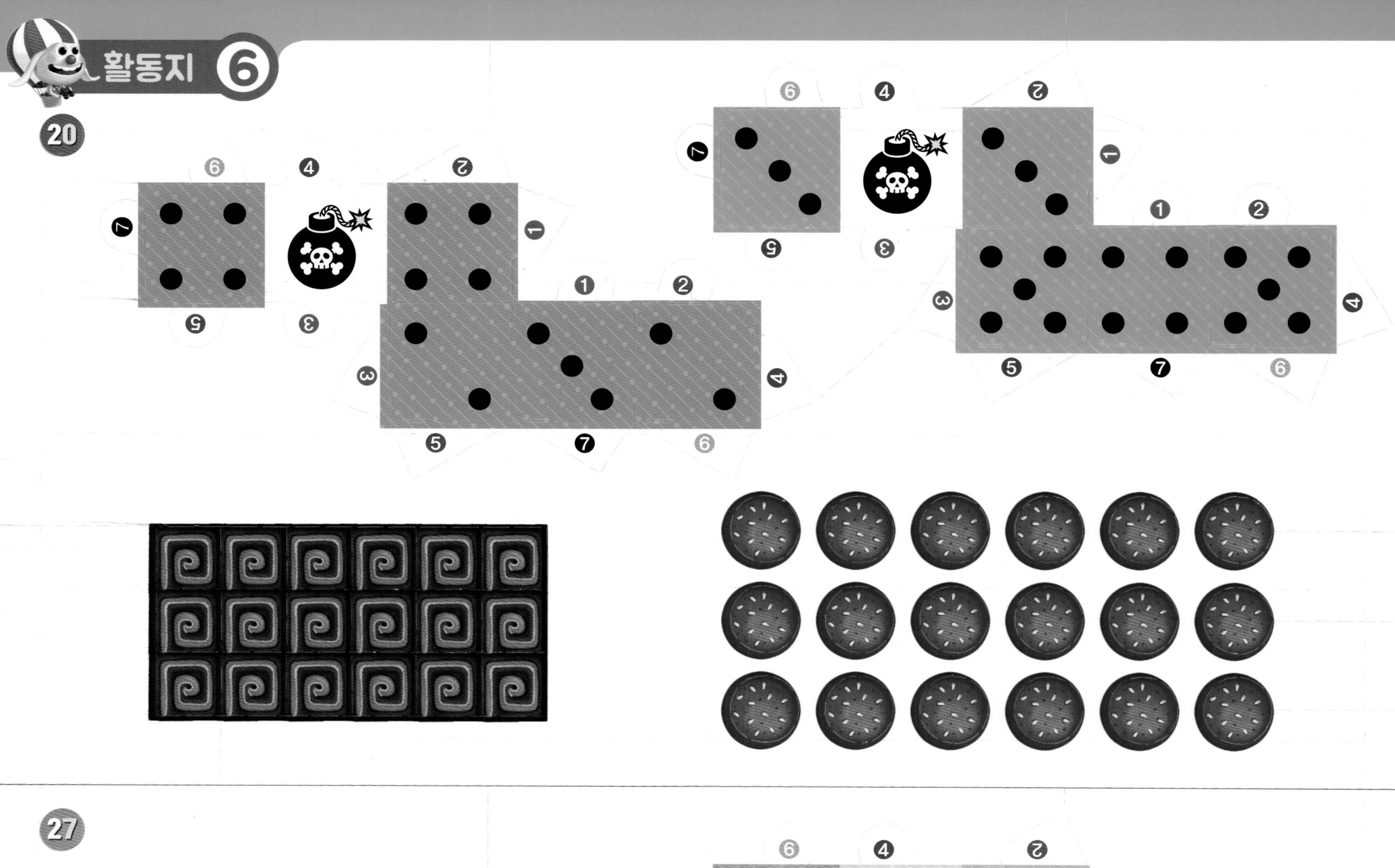
6
4
2
7
1
5
3
6
4
2
7
1
1
2
5
3
1
2
3
4
3
4
5
7
6
5
7
6

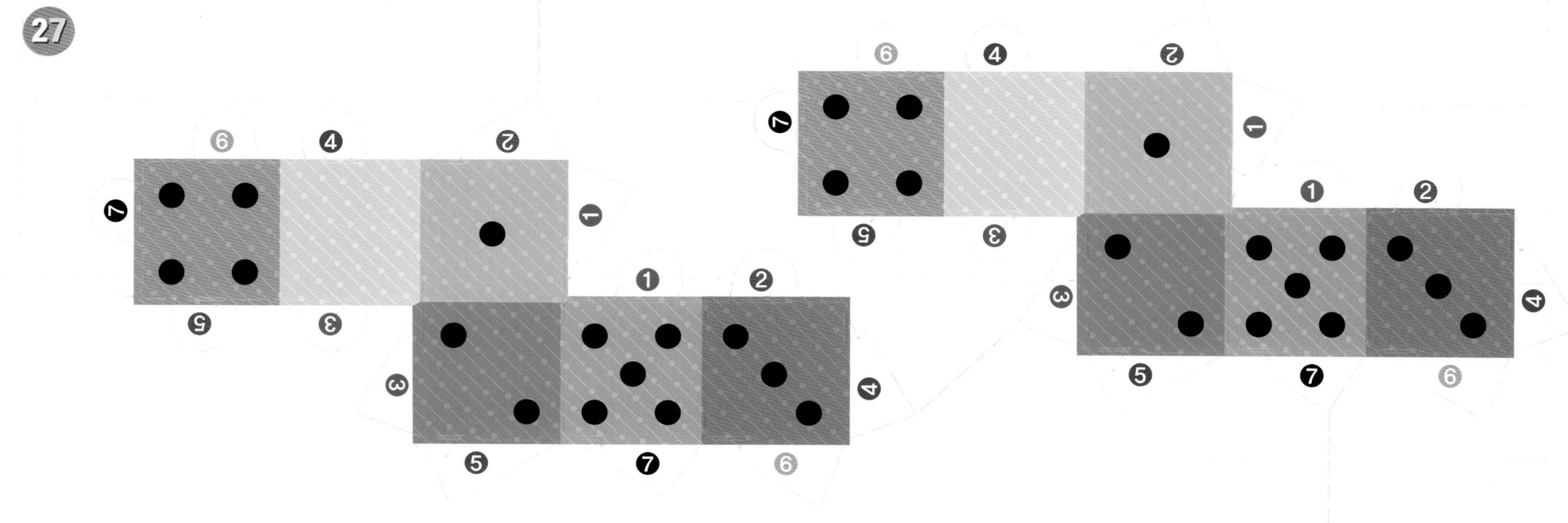
27
6
4
2
7
1
5
3
1
2
6
4
2
7
1
1
2
5
3
3
4
3
4
5
7
6
5
7
6

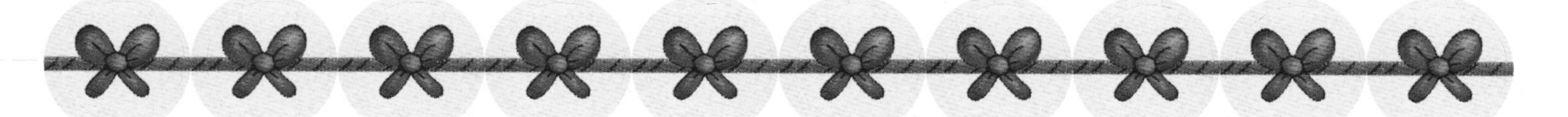

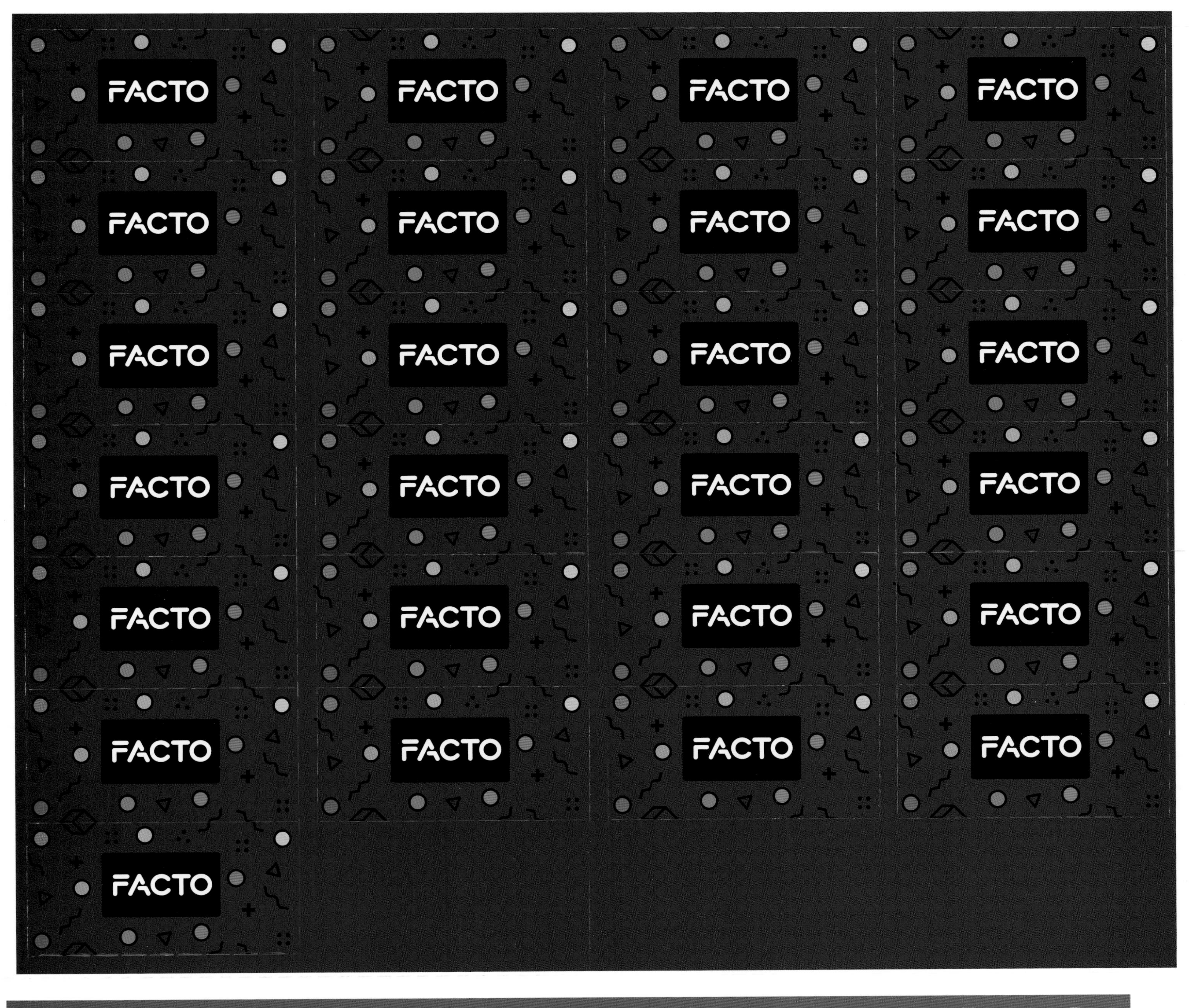
FACTO
FACTO
FACTO
FACTO
FACTO
FACTO
FACTO
FACTO
FACTO
FACTO
FACTO
FACTO
FACTO
FACTO
FACTO
FACTO
FACTO
FACTO
FACTO
FACTO
FACTO
FACTO
FACTO
FACTO
FACTO

09 29

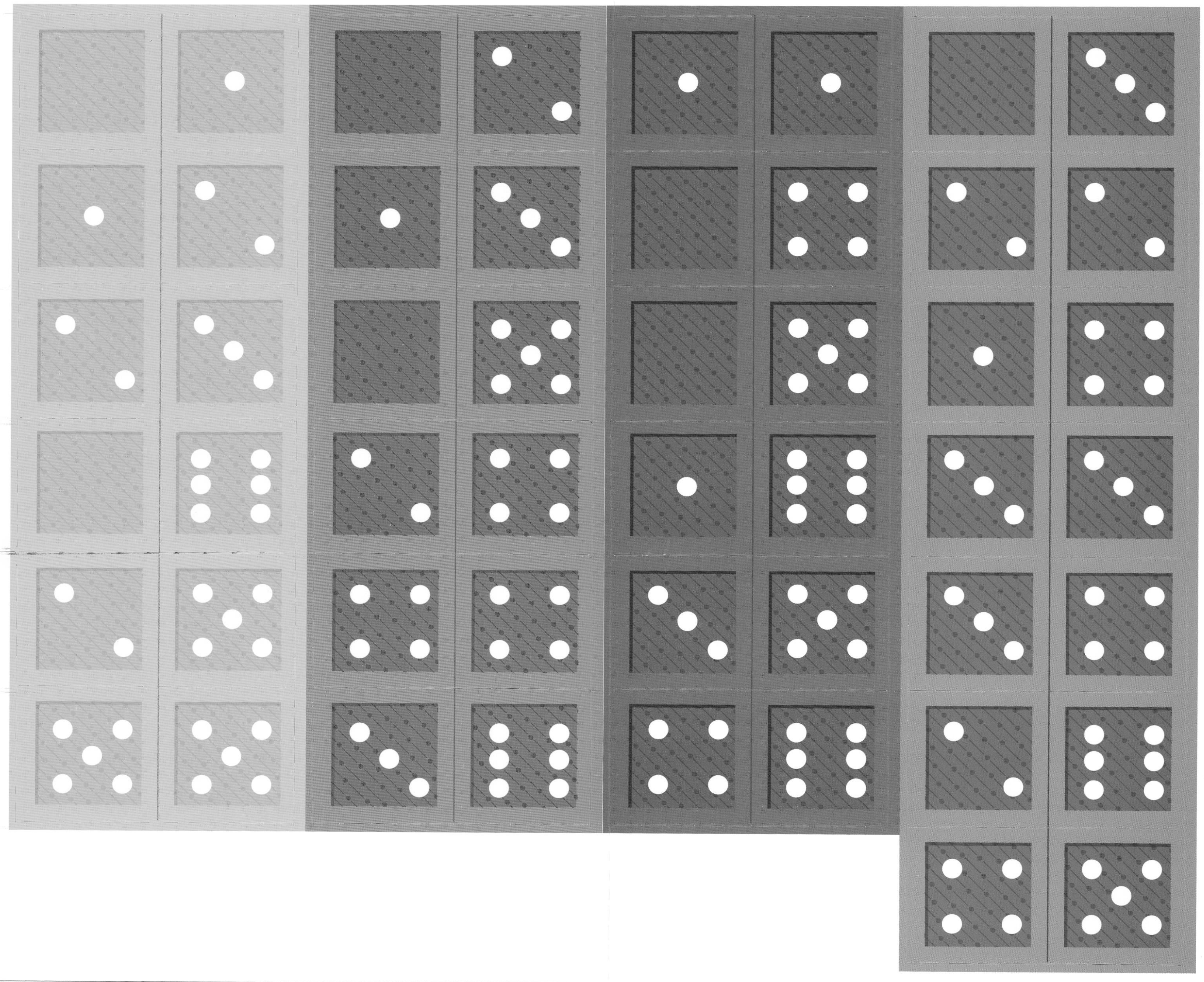

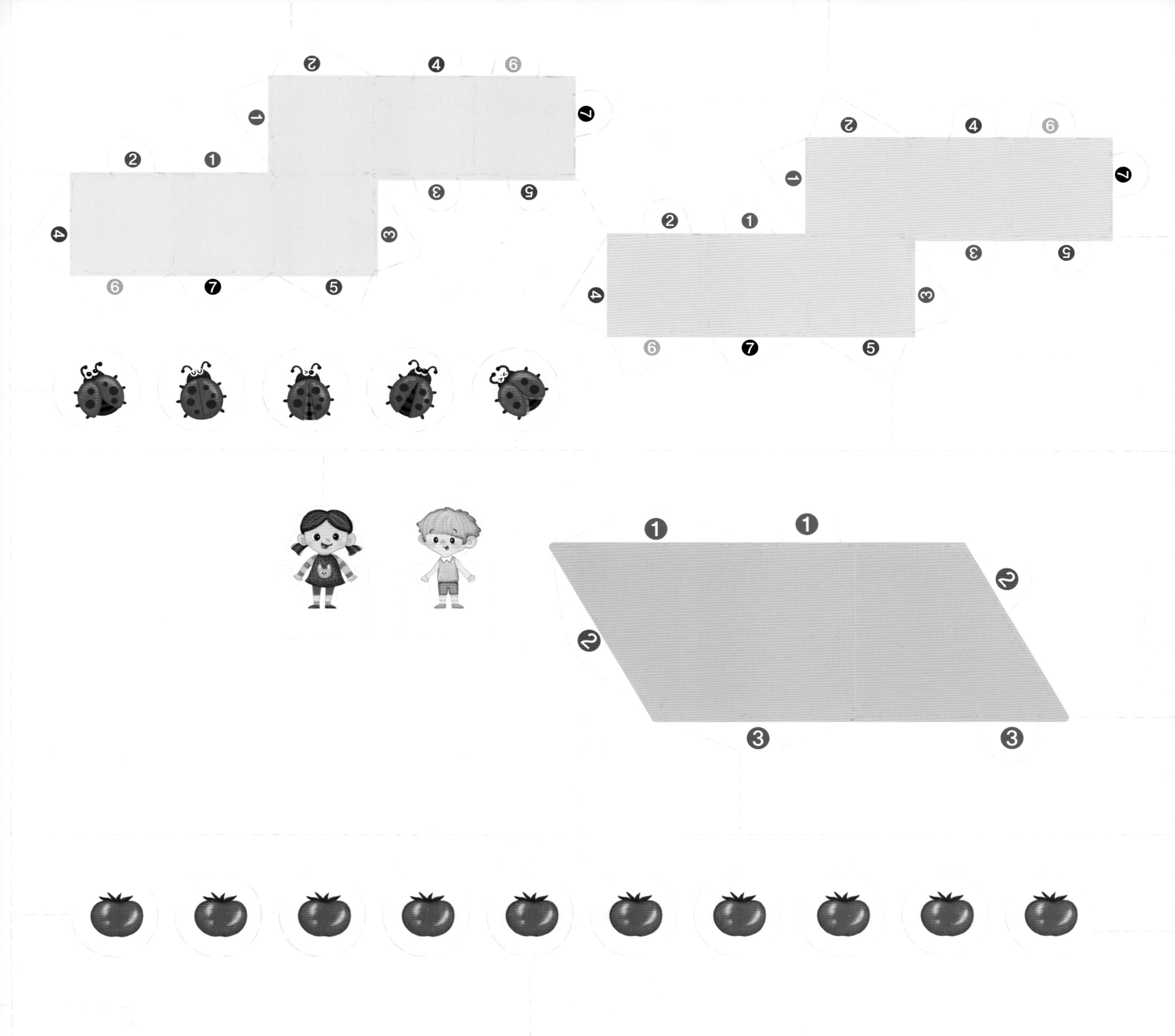

활동지 4

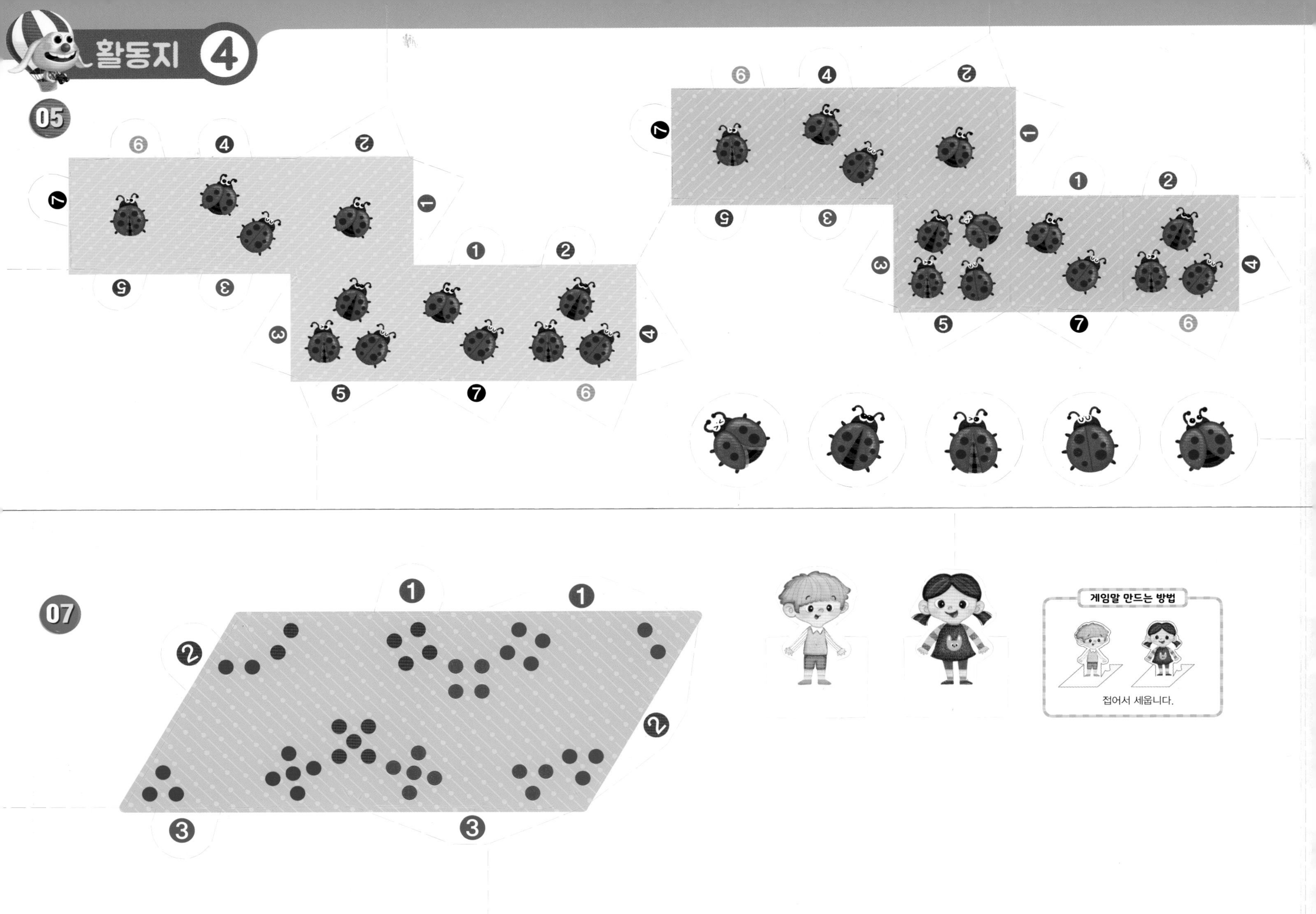

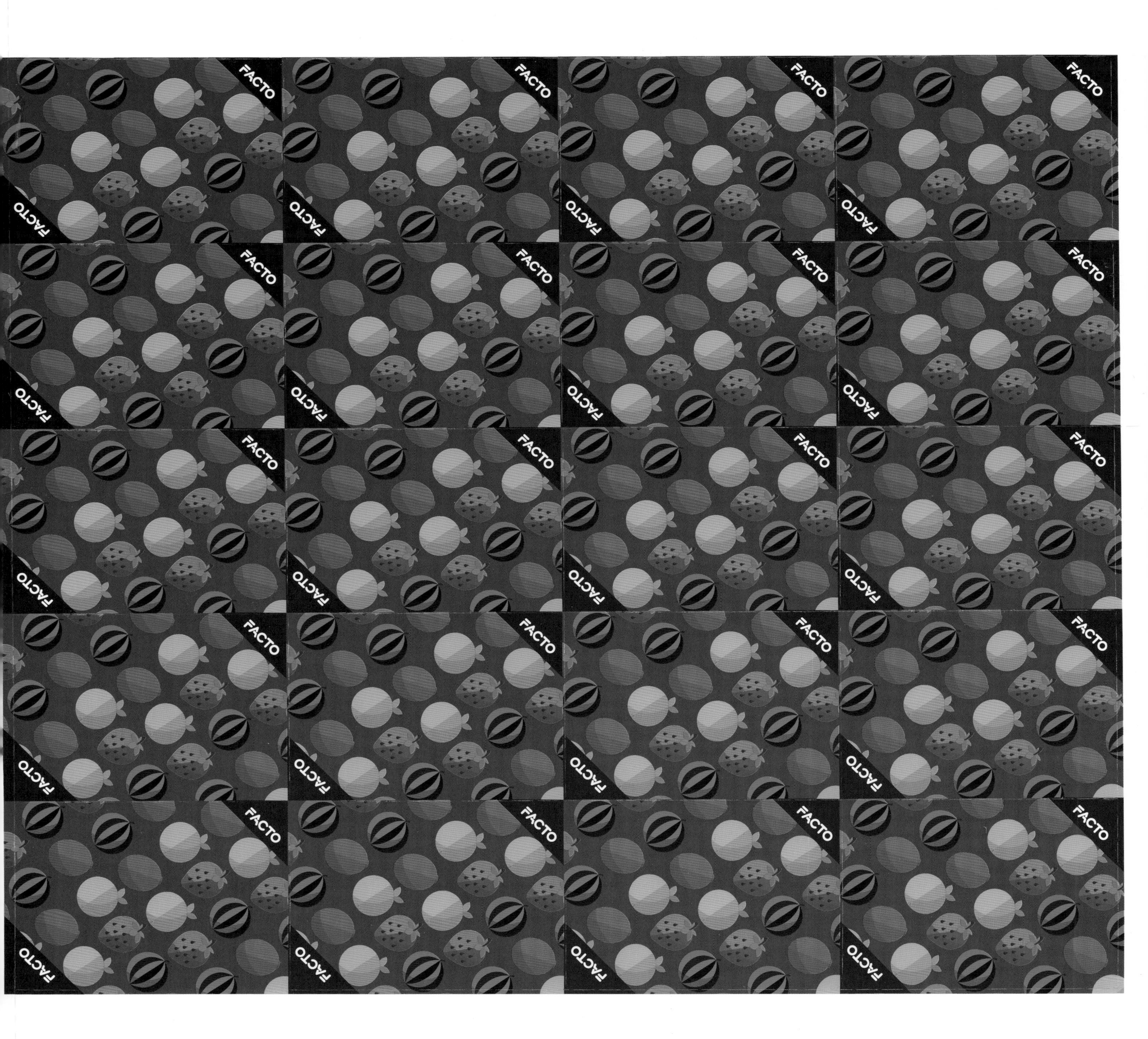
FACTO

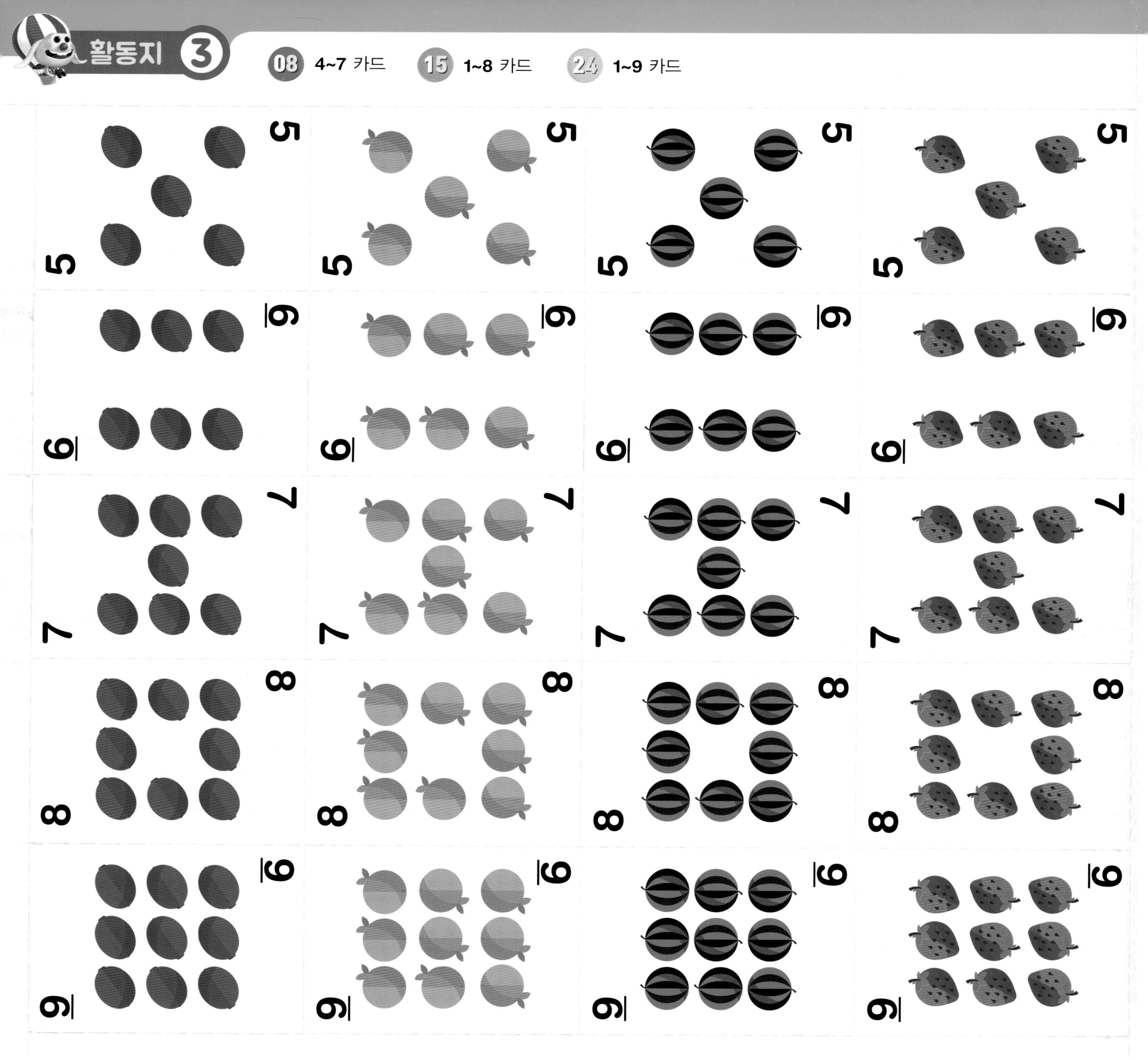
활동지 3
08 4~7 카드
15 1~8 카드
24 1~9 카드

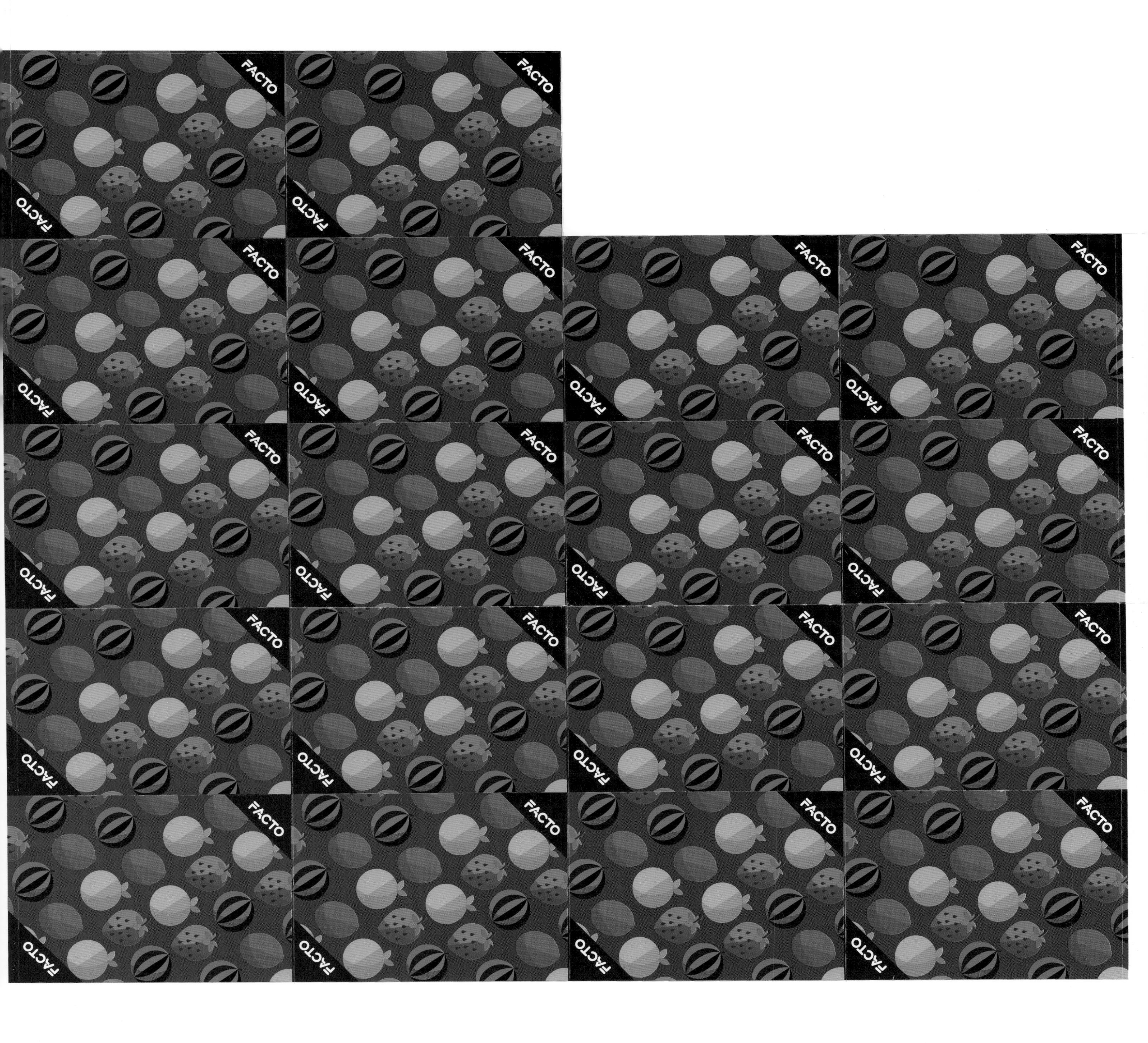
FACTO

활동지 ②

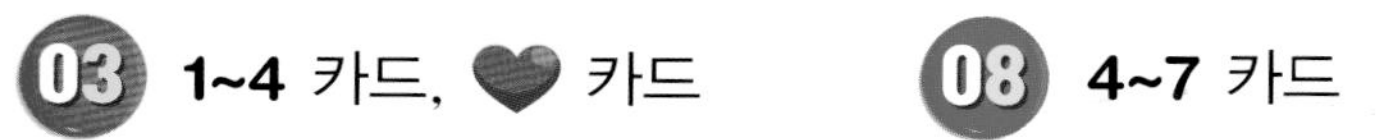

03 1~4 카드, ♥ 카드

08 4~7 카드

15 1~8 카드

24 1~9 카드

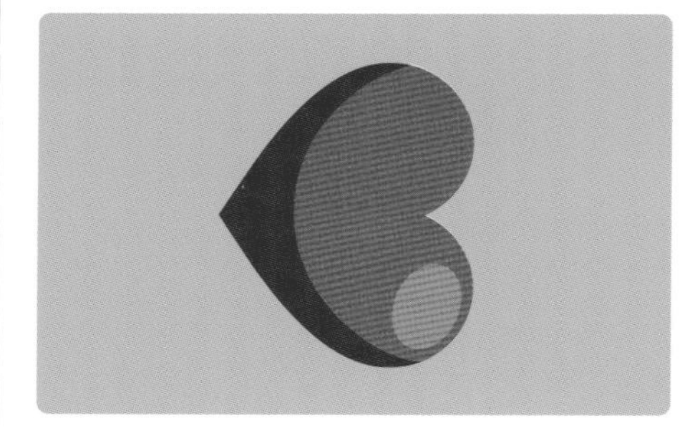

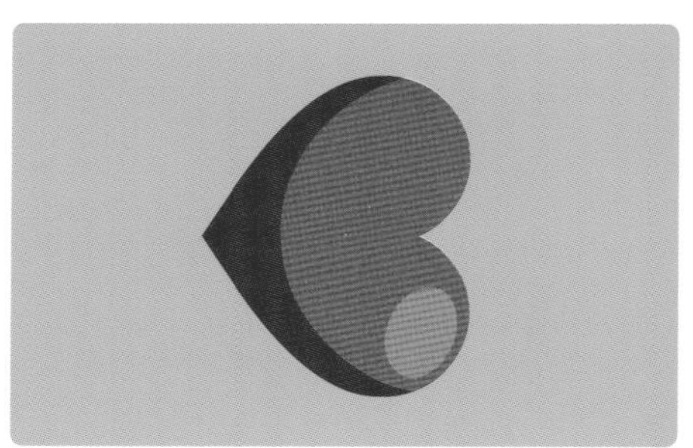

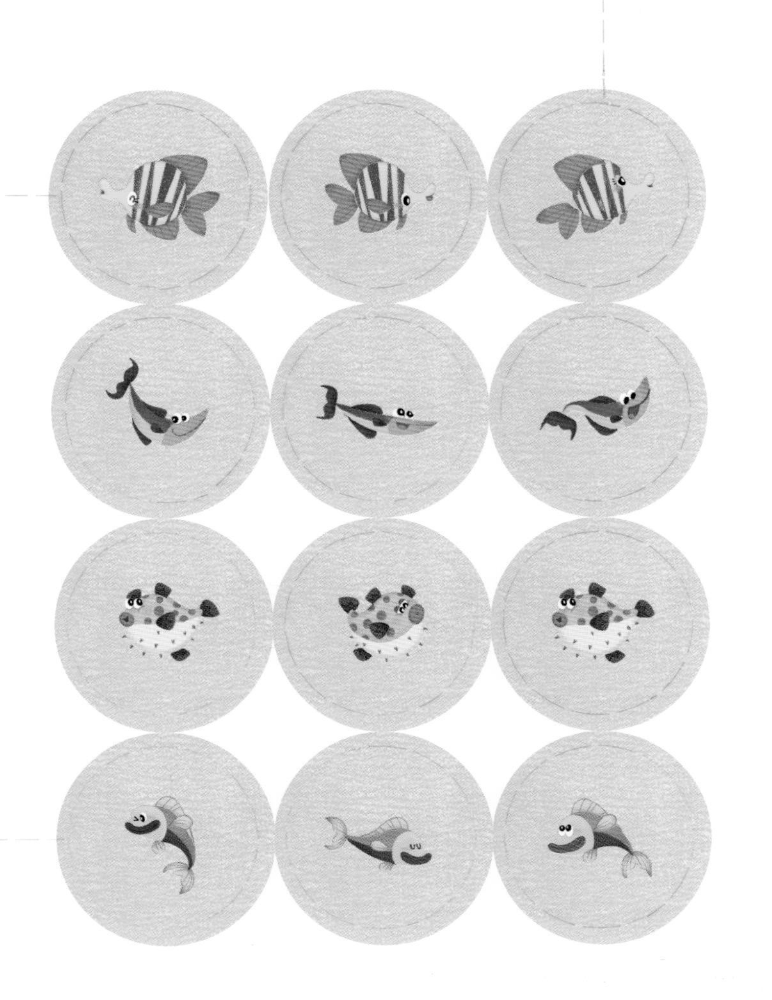

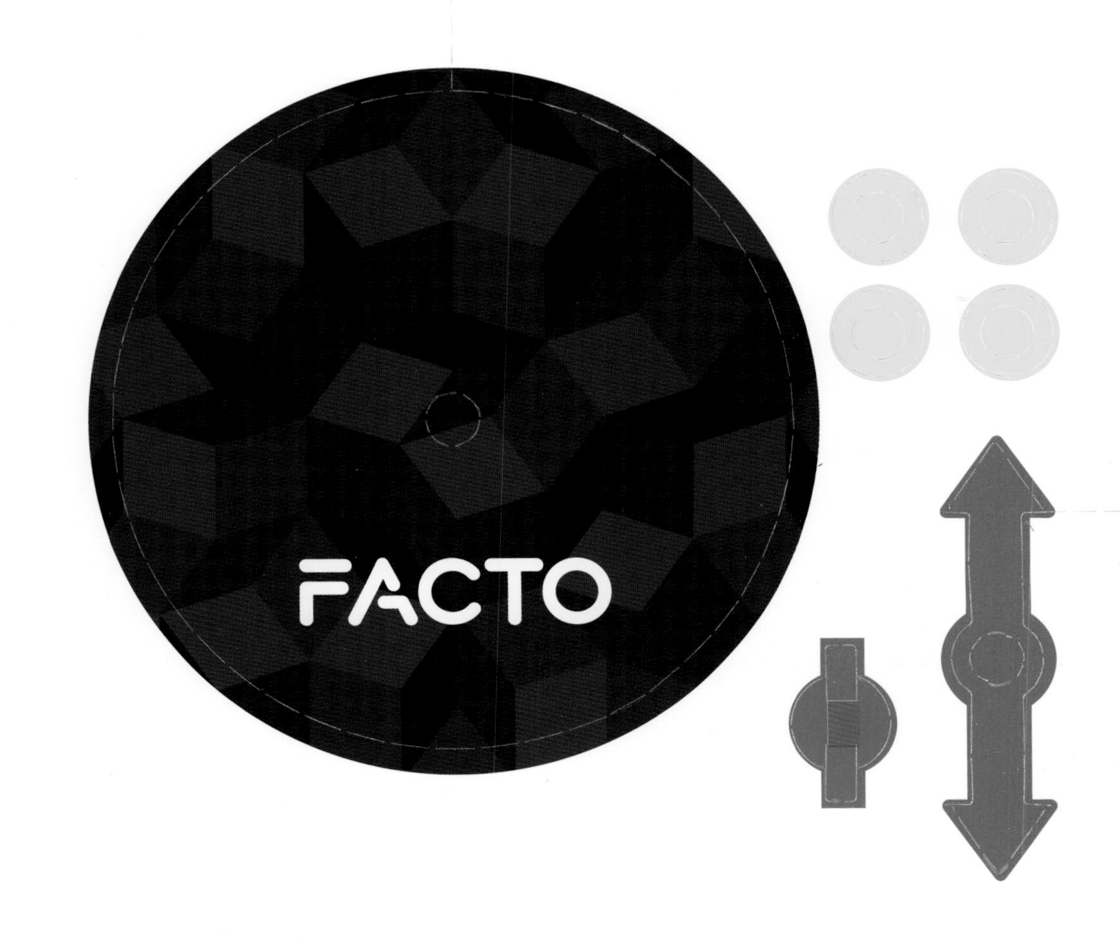
FACTO

활동지 1

01

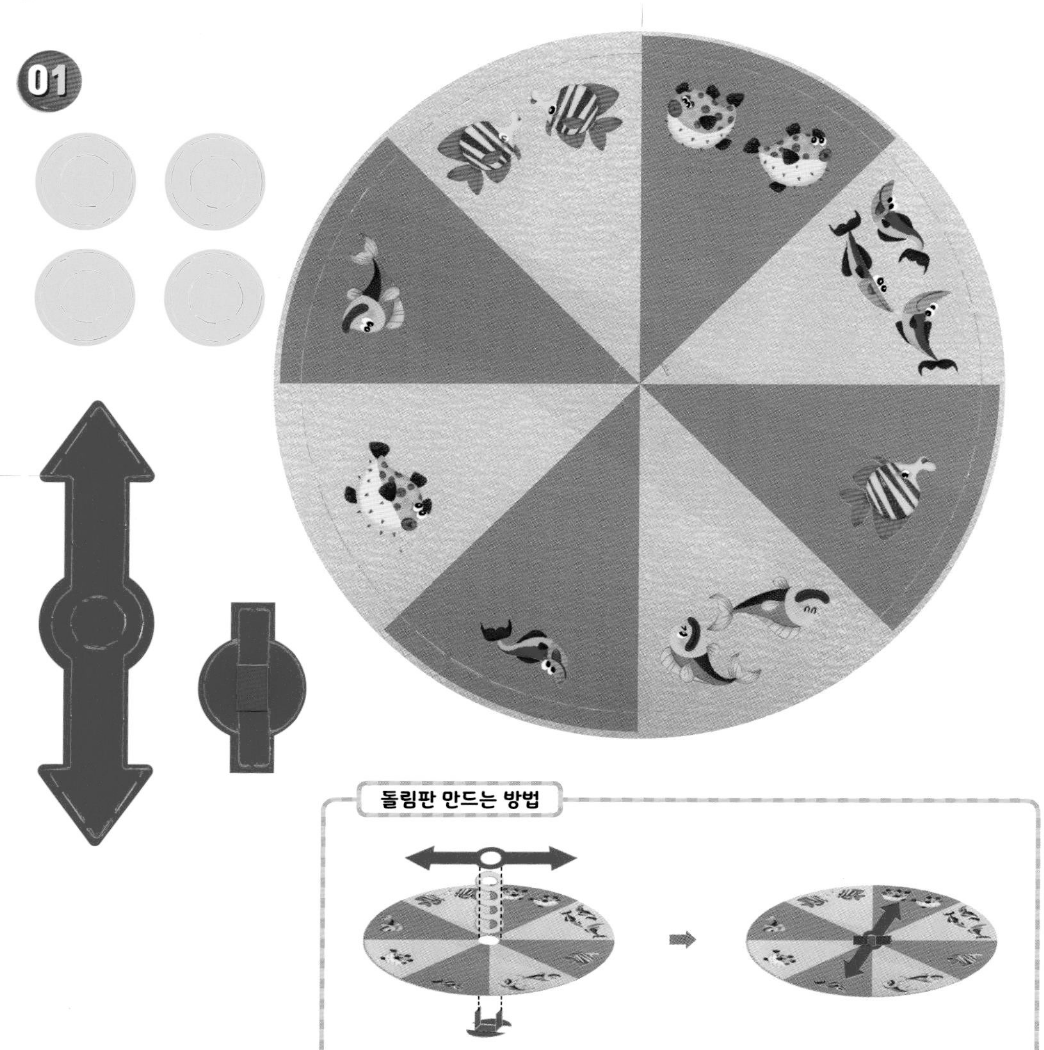

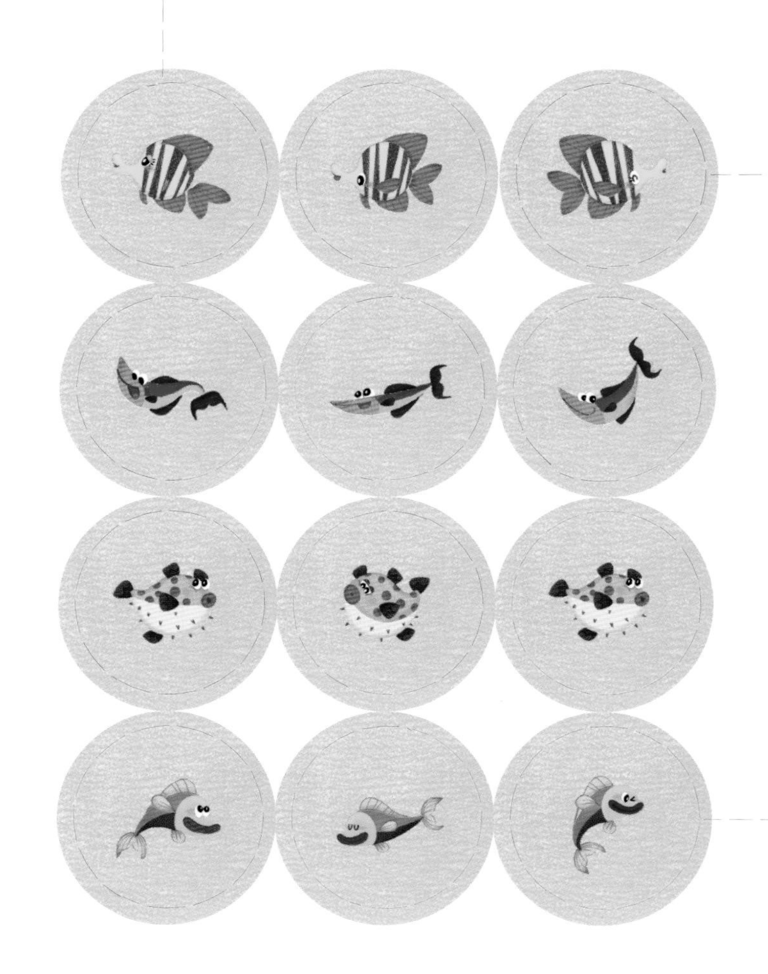

02

붙임딱지 ②

19

21

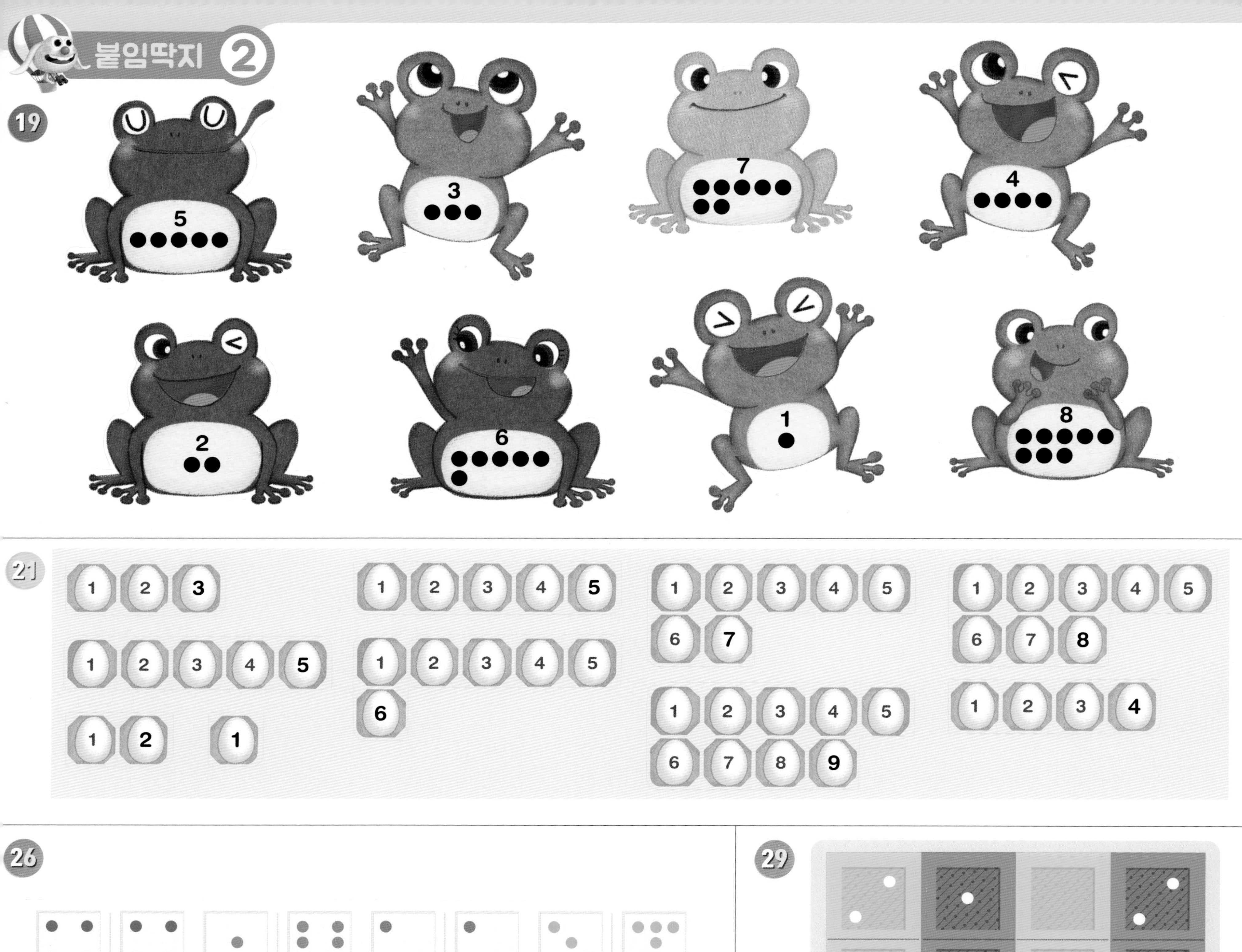

26

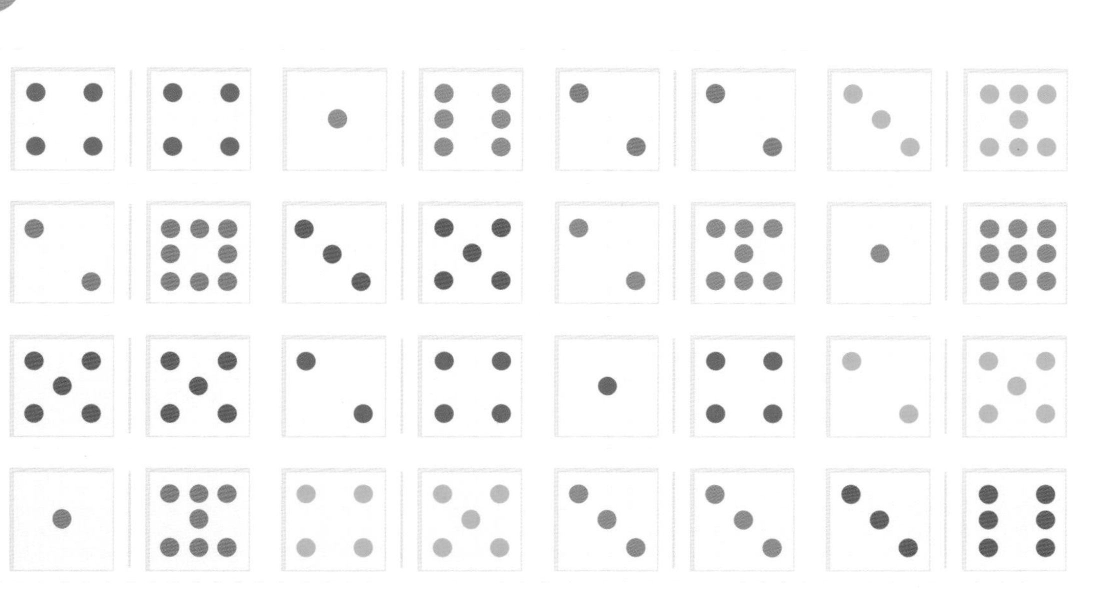

29

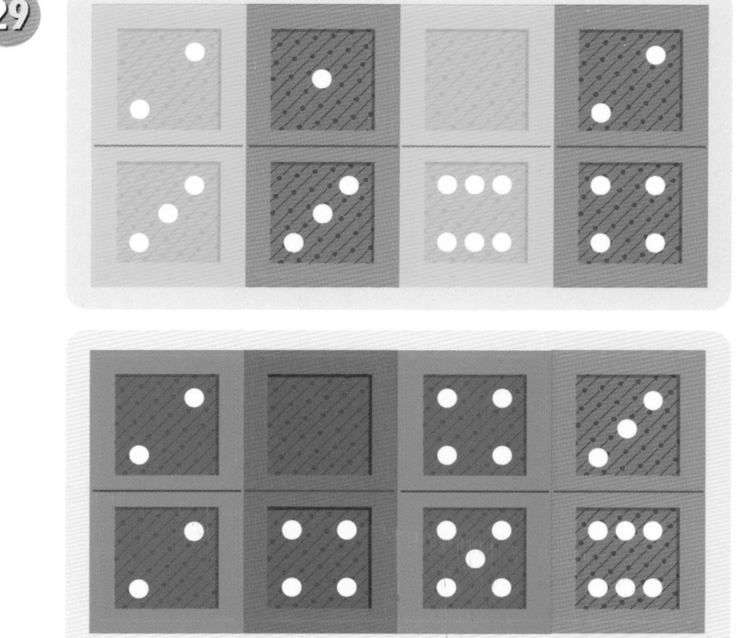

붙이는 곳

붙이는 곳

붙이는 곳

붙이는 곳

활동지 보관 상자

※ 활동지(카드, 주사위, 칩 등)를 사용한 후 보관 상자에 담아 두었다가 필요할 때마다 사용하세요.

보관방법 1

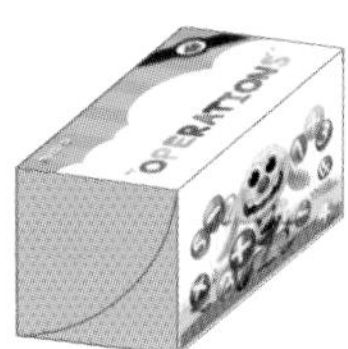

보관방법 2

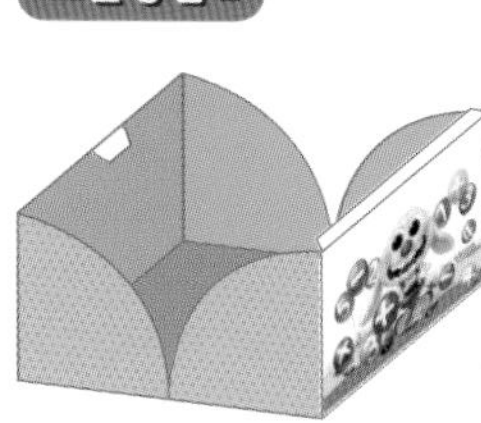

풀칠하는 곳

풀칠하는 곳

매스티안

풀칠하는 곳

FACTO

Facto Schule

풀칠하는 곳

OPERATIONS